La despensa de
Karlos Arguiñano

Rica y con fundamento

La despensa de Karlos Arguiñano

❊❊

Rica y con fundamento

ESPASA CALPE

La despensa de Karlos Arguiñano

Director Editorial: Javier de Juan y Peñalosa
Editora: Constanza Aguilera Carmona
Diseño, maquetación, cubierta e iconos: Muñoz&Krämer
Fotografías: Mikel Alonso y archivo gráfico de Espasa Calpe
Dibujos: Rafa Serras
Coordinador por parte de Asegarce: José Antonio Cantalapiedra

Primera edición: diciembre, 1995
Cuarta edición: diciembre, 1995

Depósito legal: M. 41.176-1995
ISBN: 84-239-5781-0

Impreso en España/Printed in Spain
Impresión: Mateu Cromo Artes Gráficas, S. A.

Editorial Espasa Calpe, S. A.
Carretera de Irún, km 12,200. 28049 Madrid

Índice general

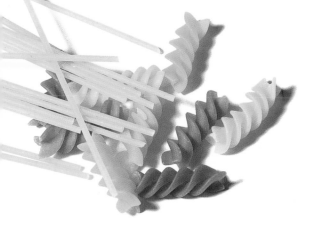

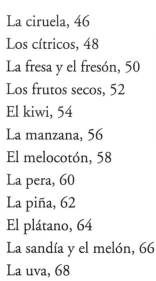

Verduras y hortalizas, 125

Introducción

L PRIMER RECUERDO QUE TENGO RELACIONADO
con mi afición por la cocina es una imagen mía, de crío, contemplando casi
hipnotizado los puestos del Mercado de Ordizia. Un mercado popular que
todos los miércoles se celebra en esta localidad interior de Guipúzcoa y al
cual acuden todos, caseros y caseras, con lo mejor de sus huertas y corrales.

Curiosear entre los puestos y charlar con la gente del mercado sobre los
productos allí expuestos, reconozco que me produce una sensación muy
agradable. Además, siempre te enteras de los «cotilleos» del personal y te
ayuda a saber qué piensa la gente de los temas del momento.

Esta imagen de la infancia me llevó a la idea de plasmar en un libro mis
impresiones sobre los alimentos más habituales en la cocina casera, los productos que toda persona «con fundamento» —según dice mi madre—

Introducción

maneja en la cocina de diario. No se trata de una lista sin ton ni son. He seleccionado los productos que cualquier ama de casa puede encontrar en su mercado según la temporada, por tanto sencillos y económicos. Eso sí, como siempre, ricos, ricos.

No están todos los que son, pero sí son todos los que están. Esta cita —que no sé de quién es— me viene que ni al pelo para explicar lo que pretendo con este libro. Por un lado, seguir ayudando al ama de casa a conocer más cosas de estas tareas que le tocan hacer todos los días, como es comprar y cocinar. Y, por otra parte, una guía para aquellas personas que se inician en la cocina. Habrá quien eche en falta algunos productos de los llamados «caros». No haberlos incluido en el libro no se debe a un error, ni a un olvido, simplemente es que los considero más propios de la alta cocina, de los restaurantes de lujo, de cocina excepcional, que de la cocina de diario. No quiere decir esto que los alimentos que aquí os presento sean de segunda categoría, todo lo contrario. El criterio que he seguido ha sido elegir los productos frescos, de temporada y, por tanto, los más económicos. Con ellos podemos hacer los platos más suculentos que podamos imaginar.

Para mí sólo existen dos cocinas, la buena y la mala. Y lo más importante, además del cariño, a la hora de cocinar, es elegir los productos en su punto. En este libro encontraréis algunas de las claves necesarias a la hora de comprar. Detalles que no debéis pasar por alto cuando estéis en el mercado. También os explico cómo le podéis sacar mejor partido a la cocina. Pequeños trucos que uno va aprendiendo a base de meter horas en ella. Y algunas recetas que os sirvan de referencia.

Mi mayor ilusión sería conseguir que, con este libro, os hicieseis practicantes de la buena cocina. Aquella que se puede dar tanto en un buen restaurante como en el más humilde de los hogares. Ya sabéis que comer con fundamento no es comer ni mucho ni caro; sino comer variado, equilibrado y disfrutando.

El último capítulo del libro, el que le da título, lo he dedicado a un lugar mágico de la cocina, como es la despensa. Un sitio donde debemos tener lo básico, aquello que nos ayudará a dar sentido a muchos de nuestros platos y donde siempre encontraremos algo que nos ayude a salir del paso cuando se nos presenta un imprevisto.

La despensa, además de un buen refugio para jugar al escondite, es un reflejo de nuestro cariño por la cocina. Un lugar ordenado y limpio. No tiene por qué haber abundancia, simplemente que sea práctica y contenga lo imprescindible. Ni más, ni menos, pero todo rico, rico.

Cereales y derivados

LA PALABRA CEREAL PROVIENE DEL LATÍN CEREALIS, NOMBRE que hace referencia a todo lo relacionado con la diosa Ceres, divinidad protectora de la agricultura para los antiguos romanos.

Desde que el hombre descubrió la agricultura, los cereales son, sin duda, el ingrediente más importante de nuestra alimentación.

Son frutos de las plantas herbáceas de la familia de las gramíneas, como el arroz, trigo, avena, centeno, mijo y alforfón o trigo sarraceno. Este último, aunque así denominado no es propiamente un grano o cereal, pero se suele incluir entre ellos.

Los dos cereales más significativos del mundo son el trigo, que es el cereal por excelencia de Occidente, y el arroz, más identificado con la cultura oriental, pero que también adoramos los occidentales.

Históricamente han tenido mucha importancia también otros cereales y algunos están recobrando, gracias a las inquietudes dietéticas, su olvidado prestigio. Así la avena, conocida sobre todo por sus copos, se utiliza también para elaborar con ella unas gachas formidables, como los célebres «porridge» británicos y, muy en particular, los escoceses.

La durísima planta del centeno soporta temperaturas más bajas que el trigo y por ello lo utilizaron los primeros colonizadores de América. Hoy día forma parte de suculentos panes que proliferan en «boutiques» especializadas.

La cebada fue uno de los primeros cereales que descubrió el hombre, bastante antes que el trigo, para elaborar el pan.

El mijo ya lo cultivaban los romanos y soporta lo mismo las sequías que el exceso de humedad.

Incluso el alpiste nos recuerda el cariño y mimo que tenemos con los animales, sobre todo los pajaritos.

El arroz

El arroz es el cereal más consumido del mundo después del trigo. Constituye la alimentación básica de más de la mitad de la humanidad, pero ha llegado a ser no sólo una comida de subsistencia sino un gran bocado gastronómico. Ello se debe, fundamentalmente, a que lo admite todo, frío o caliente, salado o dulce, solo o con muchos aderezos.

Además, llena mucho, se digiere fácil y tiene bajo precio.

Su origen es antiquísimo. Según algunos historiadores ya se cultivaba en la isla de Java nada menos que 3.000 años antes de Cristo. La verdad es que su influencia en Occidente fue poco apreciable hasta que, al igual que con muchas otras cosas, los árabes, después de pasar por el norte de África, lo introdujeron en España y se puso de moda en toda la cuenca mediterránea. Su mismo nombre deriva del árabe «al-rruz» y aparece por vez primera en castellano en el siglo XII.

Lógicamente, los primeros usos del arroz se destinaron a platos dulces, como clara influencia de la cultura árabe, que ha sido siempre un pueblo muy goloso.

Desde el punto de vista de la nutrición, el arroz es un alimento energético y rico en hidratos de carbono, pero carece de bastantes nutrientes, cosa que se ve compensada con el acompañamiento que le damos. El arroz integral, de todas formas, es más completo que el blanco, ya que gran parte de sus vitaminas y minerales se encuentran en la capa externa, sin olvidarnos de la fibra, que llena, no engorda y regula nuestro organismo.

En la compra

Hay muchos tipos y variedades de arroz. El de grano largo, que se emplea en platos de tipo oriental, como los curries y estofados de pollo o carne, también resulta muy adecuado en ensaladas.

El arroz corto y medio, de granos más pequeños y redondos, se vuelve tierno y húmedo al cocinarse, tendiendo a pegarse los granos.

El arroz vaporizado, de color ligeramente tostado, tiene sobre todo una ventaja y es que no se pasa.

El arroz integral, con su propia cáscara, más rico en fibra y vitaminas, necesita más agua y tiempo de cocción.

Existe también el arroz silvestre o salvaje, que contiene también mucha fibra. Su precio es elevado dada su laboriosa recolección. Necesita además un tiempo de cocción largo.

Dentro de los arroces que podemos encontrar en el mercado, hay una denominación de origen que garantiza una gran calidad, es el de Calasparra, del municipio de la provincia de Murcia. Así mismo, son importantes los arrozales de los deltas del Guadalquivir y del Ebro, que superan en volumen a los magníficos arroces valencianos.

En la cocina

El arroz es un alimento que se presta a infinidad de preparaciones culinarias, pudiendo usarse como base de una comida, incluso como plato único, como guarnición o como postre, como es el caso del siempre agradecido arroz con leche.

El aspecto más importante en la preparación del arroz es su punto de cocción, que depende del tipo de grano. En algunos casos, es imprescindible el reposo.

Las técnicas culinarias fundamentales aplicadas en la elaboración del arroz, y aun a riesgo de simplificar, se pueden dividir básicamente en tres tipos. En primer lugar, elaboración de arroces secos en un recipiente metálico (como una sartén), de gran diámetro y con los bordes bajos en proporción a su tamaño; es el caso de la paella (no decir paellera, que es la señora que realiza este plato) y del memorable arroz a banda, es decir, aquel en que los ingredientes de pescados y mariscos se hacen aparte y aportando todo su caldo a la cocción del arroz. En segundo lugar, se pueden distinguir los arroces elaborados en cazuela, bien al horno, en cuyo caso obtendremos un arroz seco, bien directamente al fuego, con el resultado de un arroz más meloso, como es el típico arroz con acelgas de los hogares valencianos. Por último, están los arroces caldosos, que se hacen en pucheros altos. El más conocido de todos es el arroz *amb fesols i naps* (arroz con judías y nabos), que se acompaña con una riquísima morcilla de cebolla. Y, por supuesto, los tan de moda arroces cremosos al estilo de los *rissotos* italianos.

Quien arroz come, buenos carrillos pone.

Paella sencilla

Ingredientes (4-5 personas):
- 400 g de arroz
- 200 g de rape limpio cortado en dados
- 200 g de gambas peladas
- 200 g de almejas
- 8 langostinos
- caldo de pescado
- 1 cebolla
- 1 zanahoria
- 1 pimiento verde
- 1 tomate
- 2 dientes de ajo
- aceite
- perejil
- sal

Elaboración:
Pica muy fino la cebolla, la zanahoria, el pimiento, el tomate y los ajos. En la paella, pocha o rehoga la verdura durante 5 minutos. Cuando esté bien pochada, añade el pescado, las gambas y las almejas. Rehoga bien e incorpora el arroz. Espolvorea con perejil. Muévelo y agrega el caldo.
Prueba de sal y, cuando empiece a hervir, coloca encima los langostinos y deja cocer 15 minutos a fuego suave hasta que esté hecha. •

Trucos y consejos

❧ *Debemos conservar el arroz en lugares frescos y sin luz.* **En estas condiciones podemos tenerlo hasta un año.**

❧ *Cuando preparéis el arroz, tened en cuenta que los* **comensales deberán esperar al plato y no al revés.**

❧ *Por lo general, no es conveniente recalentar el arroz.* **Además de perder su textura puede desarrollar sustancias indeseables.**

❧ *Para que el arroz quede perfecto, es decir, que ni esté duro* **ni se pegue, además de darle la cocción exacta, echadle un chorro de zumo de limón a la mitad de la cocción; quedará más suelto.**

❧ *Para que repose, tapadlo con un paño de cocina. Así el* **vapor será absorbido por los granos y no se reblandecerán. En caso de que haya quedado duro, cubridlo con una tapadera, de forma que las gotas de vapor se condensen en la tapa y el arroz termine de hacerse.**

La pasta

*La palabra pasta significaba en su origen una masa
hecha con varios ingredientes machacados
y amalgamados. Según narra
Marco Polo en el libro de sus
viajes, habría sido
él quien trajo este
alimento a Occidente
desde la lejana China.
Sea esto cierto o no, la
verdad es que surgieron
pastas similares casi a la vez
en numerosas partes del globo.*

*La explicación es muy sencilla: se trata de alimentos
espontáneos que, como las sopas, los asados o la elaboración
de pan, no tienen un inventor concreto.*

*Lo que sí parece seguro es que a España llegaron después
de la dominación musulmana. Las dos pastas más antiguas
que se citan en las lenguas hispánicas son la aletría, palabra
árabe, y el fideo, mozárabe, que vienen a ser dos maneras
de describir la misma cosa.*

*La pasta es un producto elaborado a base de trigo o sémola
de trigo y agua. Esto hace que no sea demasiado rica en
nutrientes, por lo que normalmente se le añaden alimentos de
mucha sustancia, como huevos, leche y verduras, para hacerla
más completa. La pasta es buena de todas formas, para todas
las edades, e incluso para las épocas de gestación y lactancia.
Y no creáis que son alimentos de muchas calorías, vamos,
que no engordan mucho, pero sí nos aportan vitaminas
y minerales. Lo que nos engorda es el aceite y las grasas
con los que nos gusta tomarla.*

En la compra

Una primera división debe hacerse entre las pastas secas y las frescas (estas últimas no han sufrido el proceso de desecación). Por otra parte, según su composición, las pastas se pueden dividir en alimenticias simples y compuestas. Estas últimas son aquellas a las que se ha incorporado en el proceso de elaboración una o varias sustancias alimenticias, como por ejemplo soja, huevos, leche, así como diversas hortalizas, verduras e incluso legumbres.

Es muy corriente encontrarnos con pastas al huevo, con espinacas, y una muy típica mediterránea que es a la que se le añade harina de garbanzos.

Otra clásica distinción es la de las pastas rellenas, como los *ravioli* y los *tortellini*, que contienen en su interior múltiples rellenos de carnes, así como verduras y queso.

En cuanto a las formas, podemos encontrar en la compra, desde los espaguetis, que son unos largos fideos, hasta los más aplastados y anchos, como los tallarines o cintas, o las lasañas, que se elaboran por capas; pasando por los macarrones en forma de cañitos largos y, por supuesto, los hispánicos fideos, tan típicos de nuestros cocidos.

En la cocina

La pasta se debe cocer en agua hirviendo, con un litro por cada 100 gramos. Debe hacerse en pucheros altos y sin tapar. En el momento de echar la pasta y durante la cocción, caso de tratarse de pastas largas, debe removerse con una cuchara de palo (hay también unos largos tenedores de palo especialmente preparados para este fin), para que no se pegue y quede bien suelta. El tiempo de cocción es breve, pero variable. Depende sobre todo de la pasta que utilicemos, en general las más finas, como los espaguetis y *fettuccini*, tardan en cocer de diez a doce minutos a fuego moderado. Las pastas al huevo están listas en pocos minutos, como mucho cinco. Debemos tener en cuenta que la pasta se debe escurrir bien, ya que si queda empapada en agua, pierde su gusto y no se mezcla con las salsas.

También es importante dar un poco de brillo y soltura. Para ello, no hay nada como derretir un poco de mantequilla o añadir un chorrito de aceite de oliva y remover con dos tenedores de madera para que la pasta se impregne. Esto naturalmente en el caso de que no vayamos a añadirle la salsa inmediatamente. Así mismo, es aconsejable calentar los platos a la hora de servir la pasta, para que se muestre lustrosa.

Di esta frase con la boca llena de macarrones: Pasta a todo pasto, si no es pastosa poco gasta, con sal no es sosa, y la tripa no te empasta.

Ensalada de pasta de colores

Ingredientes (4 personas):

- 250 g de pasta de diferentes colores
- 200 g de jamón cocido
- 1 tomate
- 1/2 lechuga
- 16 gambas
- 16 aceitunas
- sal
- agua
- perejil picado
- vinagre o zumo de limón
- aceite de oliva
- 1 latita de anchoas en aceite

Elaboración:

Cuece la pasta «al dente», en agua hirviendo con sal. Una vez cocida, escurre y viértela en una fuente.

Coloca a un lado el jamón cocido troceado. Pon también la lechuga bien limpia y troceada. Parte el tomate en gajos y añádeselo a la ensalada junto con las anchoas en rollitos y las aceitunas.

En una sartén con aceite saltea las gambas peladas, sazonadas y espolvoreadas con perejil picado. A continuación, vierte este refrito sobre la pasta.

Por último, sazona el tomate y la lechuga y aliña la ensalada con aceite de oliva y vinagre o zumo de limón. •

Trucos y consejos

Para que la pasta que te ha quedado demasiado cocida tenga mejor aspecto, al retirarla del fuego refréscala con agua fría y después escúrrela.

Aunque hay que tener en cuenta el apetito de los comensales, debemos calcular entre 80 y 100 g por persona si la pasta es plato principal, y unos 50 g si se va a preparar como guarnición.

La pasta sólo se puede congelar si está elaborada con sémola de trigo duro. Antes de congelarla hay que cocerla. Se cubre con aceite ligero, se deja enfriar y se mueve para que no se pegue. Se guarda por fin en un recipiente hermético.

Es muy importante que la pasta siempre quede «al dente». Pero es más importante aún si lo que pretendemos es hacer una ensalada con ella.

Carnes

LAS CABRAS Y LOS CORDEROS CONSTITUYERON, JUNTO a los bueyes, las primeras ofrendas que se hicieron a los dioses de la antigüedad.

En estos primeros sacrificios, en que las carnes se asaban con leña, eran consumidas por los propios oficiantes y la grasa, que se consideraba impura, desaparecía por efecto del calor de las brasas.

Por otra parte, el nacimiento de la ganadería se ha dicho que es el nacimiento de la sociedad. Antes de aparecer el cultivo, se domesticaron los animales; se encerraron para uso del hombre las gacelas, los renos, los gamos y otros herbívoros. De eso hace 30.000 años. Siete mil años antes de nuestra era fue cuando se domesticó el buey.

El caballo se utilizó para la monta más que para la alimentación.

Hoy día en los países más desarrollados la carne es uno de los alimentos insustituibles en la dieta diaria.

Por otra parte, el término aves de corral se usa para denominar a todas las aves domésticas criadas especialmente para la mesa. Incluye a pollos, pavos, patos, ocas, pintadas, así como palomas caseras o pichones. Con la única excepción del pavo, que entró en Europa tras el descubrimiento de América, el resto de las aves de corral nutrían ya a los habitantes de la antigua Roma.

Bueno, en realidad había algunas más, ya que también se incluían algunas que han vuelto a los campos, como la cigüeña, y han dejado los adornos de las mesas para volver a los lagos y estanques, como es el caso de los bellos cisnes.

La cría de aves de corral está actualmente muy desarrollada. La crianza selectiva para carne y huevos ha llevado a técnicas de producción modernas y automatizadas, siendo las aves de corral más populares que cualquier otra ave salvaje.

El buey y la vaca

Dentro del ganado bovino nos podemos encontrar con diversas denominaciones, que corresponden a la edad y al sexo del animal. Se denomina vaca a la hembra de la especie bovina a partir del primer parto. El toro es el macho adulto sin castrar; hablamos de los toros bravos sacrificados en la lidia. El buey es el macho adulto castrado y, por fin, la ternera es el animal joven, tanto macho como hembra, hasta cumplir el año. Existen dos tipos de ternera: la lechal, sacrificada entre las ocho y doce semanas de vida y nutrida de leche materna, y la ternera que ya ha pastado. En la cocina se suelen simplificar mucho las cosas; por ejemplo, los franceses han contagiado la moda de olvidarnos del sexo de estos bichos, y una vez que se sacrifican le llaman a casi todo buey. La tradición española era todo lo contrario. Había un refrán muy significativo que decía, «el buey muerto, vaca es». Evidentemente, en los últimos tiempos nos hemos acercado hacia esa postura. De hecho, en los restaurantes, a las vacas de edad, a la carne roja, hoy también las denominamos como buey, tal vez debido a que los bueyes han ido poco a poco desapareciendo por causa de la eliminación de los mismos en las tareas del campo, sustituidos por maquinaria.

le solemos denominar a veces, es de un rojo vivo y brillante. Su consistencia debe ser firme y elástica. Su olor, dulce y muy ligero. Su grasa debe ser blanca o ligeramente amarilla, formando una red más o menos tupida. Cuando abunda formando un veteado como el mármol, esta carne suele ser excelente. Entonces se dice que posee una grasa entreverada.

La carne de ternera lechal, por su parte, es de color rosa muy pálido, su aspecto también debe ser firme, ligeramente húmeda y los huesos (es muy importante fijarse en ellos en los animales jóvenes) deben ser brillantes y de un blanco rosáceo.

Finalmente, la carne de ternera que ya ha pastado es un poco más oscura que la lechal, pero nunca llegará al color rojo intenso. Su grasa debe ser de un color blanco satinado.

En la compra

El color de la carne de vacuno varía desde el rosa oscuro al rojo profundo. Las variaciones de color en la carne y en la grasa nos indican claramente la edad, sexo, raza del animal y hasta su propia alimentación. La carne de vaca o de buey, de «mayor» que

En la cocina

Para obtener buenos resultados gastronómicos en las carnes es muy importante destinar cada pieza a un cometido concreto. Así, la aleta de cualquiera de estos vacunos suele ser pieza adecuada para guisar y rellenar. Es una carne un poco dura y, por tanto, mejor que sea de ternera joven. De entre las partes que se usan para filetes, resulta particularmente

sobresaliente la que une la pierna con el lomo, es decir, la cadera.

La falda, prolongación que está pegada a las costillas, es un trozo típico para el puchero.

El rabo de buey y el zancarrón o morcillo, este último situado en el antebrazo anterior del animal, así como en la bola de la pierna posterior, son carnes gustosas y gelatinosas, que agradan mucho en estofados. El morcillo, además, se revela como la mejor carne para el cocido.

Las costillas o chuletas son partes idóneas para asar, así como el lomo, que es la parte más tierna del buey, siendo su trozo más delicado el solomillo. Esta pieza se puede comprar entera, resultando deliciosa asada al horno.

Por último, la carrillera, además de ser barata, proporciona una carne tierna y jugosa que resulta ideal para ser guisada.

Trucos y consejos

❧ **Toda la carne de toro es muy sabrosa, pero las partes más apreciadas son el solomillo, el rabo y las criadillas.**

❧ **Si empleamos otra parte, es aconsejable ponerla en maceración para que se ablande y resulte su carne menos contundente.**

❧ **Antes de asar una chuleta, hay que sacarla del frigorífico al menos una hora antes de su preparación, para que adquiera más temperatura; en caso contrario, al hacerla poco quedará siempre su interior frío.**

❧ **El rabo de buey, antes de estofarlo, es preciso cocerlo largamente durante varias horas hasta que se encuentre tierno. No hay nada peor que esta carne tiesa, ya que es difícil hasta comerla.**

Zancarrón a la jardinera

Ingredientes (4 personas):
- 1 kg de zancarrón
- 1 cebolla
- 1 zanahoria
- 1 puerro
- 3 ó 4 dientes de ajo
- 2 cucharadas de harina
- aceite
- perejil picado
- agua
- sal

Para la guarnición:
- 300 g de guisantes cocidos
- 4 espárragos cocidos
- 8 alcachofas cocidas
- 12 champiñones cocidos

Elaboración:
Pon a cocer en agua con sal el zancarrón con la cebolla, la zanahoria, el puerro y un diente de ajo. Tardará 20 minutos en olla a presión y una hora y media aproximadamente en olla normal. Saca el zancarrón, filetéalo y guarda el caldo.

Pica el resto de los dientes de ajo en láminas y ponlos a dorar en una cazuela con aceite. Añade la harina y remueve bien. Agrega el caldo del zancarrón hasta obtener una salsa abundante y un poco espesita. Remueve. Después añade las verduras de la guarnición (excepto los espárragos), enteras o cortadas, y el zancarrón. Prueba de sal y caliéntalo a fuego lento unos 10 minutos. Agrega los espárragos enteros o en mitades y espolvorea con perejil picado. Déjalo un par de minutos.

En una fuente sirve la carne, acompáñala con las verduras de la guarnición y vierte la salsa por encima.●

Fácil de preparar y sabrosa de degustar... Para quedar como un rey ¡ponles chuleta de buey!

El cerdo

Se ha dicho del cerdo que, mientras en la carne de los demás animales se encuentra un solo sabor, en la de cerdo se distinguen cincuenta. Tal vez sea exagerada la frase, pero indica bien a las claras esa maravilla de gustos de sus distintas partes. El cerdo se empezó a domesticar, junto con otros animales, hace miles de años. Con muchos nombres, como marrano, cochino, guarro, puerco, gorrino, que parecen todos muy insultantes pero que, en realidad, yo creo que provienen de la envidia que tenemos de lo bueno que es. Ya lo dijo el doctor Marañón, que el cerdo era la penicilina de los pobres.

Ahora bien, si en el Lejano Oriente el cerdo tuvo gran implantación (en China es un producto básico), en el Próximo Oriente, tanto a los judíos como a los mahometanos se les negó por prohibiciones religiosas.

Estas normas no son meramente religiosas, ya que inicialmente, dada la falta de medios de conservación, era una carne poco higiénica y que en estos climas cálidos podría resultar un peligro para la salud. De todas formas, entre nosotros durante siglos no solamente ha sido un aporte de vitaminas, sino que el ritual de la matanza del cerdo se ha visto rodeado de mitos y leyendas; incluso hoy día, la matanza constituye una fiesta popular y familiar única.

puerco de gruñir», que señala la fiesta de San Martín, el 11 de noviembre, como inicio de la matanza del cerdo y que también suele coincidir con la degustación del nuevo vino del año.

La carne del cerdo fresco debe tener un color rosa perlado, de textura firme y fina, sin huella alguna de humedad y con grasa visible bien densa y de color blanco lechoso. Si la carne es de color rosa oscuro, significa que el cerdo está demasiado crecido. Si es roja, flácida o muy grasa, el cerdo también es demasiado viejo. Si se ve como húmeda, más bien mojada, con una película resbaladiza, es síntoma de mala calidad. También el olor a rancio denota en seguida que el cerdo lleva mucho tiempo sacrificado.

En la compra

Hay refranes que definen características del cerdo e incluso las fechas idóneas de su matanza. «El cochino y el señor, de casta han de ser los dos» o si no, ese que reza que el «cochinillo de mal andar ni por Navidad» o «por San Martín deja el

En la cocina

Cada corte de cerdo exige unas preparaciones diferentes. Así, por ejemplo, el jamón o muslo del animal; al margen, claro está, de esa maravilla de jamones curados que poseemos, sobre todo los de cerdo ibérico, esta pieza, que se vende

en entero o en trozos, es ideal para cocinarla asada. Resulta casi perfecto junto con vinos dulces como el oporto y el jerez.

También la maza delantera o paleta resulta tierna y jugosa para asados y guisos. Muy típico de la cocina gallega es esta pieza salada, que se denomina lacón y que se acompaña con grelos y patatas.

El codillo, situado entre el jamón y las manos del cerdo, es muy típico en el centro de Europa, semiconservado, o en sal o ahumado y que se prepara fundamentalmente cocido.

El lomo fresco o adobado, las chuletas de cerdo de la zona de la riñonada, así como el solomillo, son otras partes de interés para freír, a la parrilla o al horno.

Mención aparte es el delicioso tocino, condimento y sabor especialmente en potajes. Y como del cerdo se aprovecha todo, hay otros bocados tan particulares como suculentos: la lengua, las orejas, las patas, el rabo y las cabezas, llamadas estas últimas caretas, que se emplean sobre todo en guisos de legumbres.

Trucos y consejos

※ *Siempre se recomienda que se haga muy bien la carne del cerdo, pero, ¡ojo!, hacerla bien no significa que quede seca como un estropajo.*

※ *La carne del cerdo suele menguar bastante al asar o al freír, pierde casi un tercio de su peso. Es conveniente tenerlo en cuenta a la hora de comprar.*

※ *Esta carne se congela muy bien siempre que se espere un par de días después de la matanza. Congelarla envuelta en un material fuerte y resistente (bolsa de congelación, papel de aluminio o plástico), retirando las bolsas de aire y teniendo cuidado de que los huesos no perforen la bolsa. Se pueden conservar así hasta 6 meses, excepto los despojos, que se conservan la mitad de tiempo.*

Solomillo de cerdo en hojaldre

Ingredientes (4 personas):
- 2 solomillos de cerdo
- 300 g de hojaldre
- 1 lata de foie-gras
- 1 vaso de nata líquida
- 1 vaso de caldo de carne
- 1 huevo batido
- pimienta
- sal

Para acompañar:
- puré de patata
- unas hojas de endibia

Elaboración:

Salpimienta el solomillo y envuélvelo en una capa fina de hojaldre. Píntalo con el huevo batido y mételo al horno caliente a 200°C durante 25 ó 30 minutos.

Aparte, prepara la salsa. En un cazo pon el foie-gras, la nata líquida y el caldo a fuego lento, para que reduzca, unos 10 ó 15 minutos.

Vierte esta salsa en el fondo de la fuente de servir, coloca encima el hojaldre con el solomillo.

Puedes acompañarlo con puré de patatas sobre unas hojas de endibia. •

De la cabeza al rabo, todo es rico en el marrano.

El cordero

El ganado ovino existía ya hace 7 millones de años y el hombre lo domesticó antes que a ningún otro; se ha dicho que, tal vez, por ser el más tonto.

Pero acaso no sea este el único factor, quizá la razón se encuentre en que sus carnes son seguramente de las más sabrosas que conocemos. En la Roma antigua se estableció que la mayor utilidad y prestigio para una familia era la de poseer un rebaño de ganado lanar. Y es que estos animales nos proporcionan no solamente sus ricas carnes, sino también la lana para vestirnos. La tradición culinaria del cordero es tan antigua como la civilización. La historia castellana en particular y la española en general es inseparable de la del propio cordero.

Es todo un orgullo de la ganadería de nuestro país.

El cordero sólo merece el nombre de tal si ha sido sacrificado antes de cumplir el año. Después será borrego y finalmente oveja. Hay una graciosa expresión de oveja vestida de cordero que surgió porque eran demasiados los carniceros que querían timar a sus clientes, pero en realidad no hay confusión alguna entre los dos tipos de carnes.

En la compra

Lo primero que tenemos que hacer al llegar al puesto del mercado es conocer el cordero según su edad. Tenemos, en primer lugar, al cordero lechal o lechazo, que es el producto más joven del ganado ovino, se sacrifica con 30 días aproximadamente y sólo debe haber sido alimentado con leche materna. Por el peso en seguida se delata, pues no debe llegar más que a 7 u 8 kilos.

Por otra parte, el ternasco tiene unos cuatro meses y no debe pasar de 13 kilos. Luego, el llamado de cebo precoz es poco frecuente en nuestro país, entra en el cebadero con unos 30 días y sale a los 90 días con unos 15 kg en canal.

Por otra parte, las razas más explotadas por su interés ganadero y comercial son la merina, que produce una lana de gran calidad. En la zona de Extremadura los corderos merinos son también muy apreciados por su carne, que, pese a sacrificarse ya muy crecidos, posee un aroma muy característico del campo extremeño, al comer mucha hierba aromática.

La raza churra, muy típica de Castilla, da una leche muy buena para la elaboración de quesos. Precisamente esta leche materna aporta un sabor característico a sus retoños, los tiernísimos lechazos. La *latxa*, situada en el País Vasco, también con una leche muy buena, con la que se elaboran quesos como Idiazábal, cría así mismo corderos de gran nivel, existiendo en la actualidad una denominación de calidad «cordero lechal vasco».

En la cocina

Desde antiguo, el cordero, el cabrito, así como el carnero (de la mar el mero y de la tierra el carnero), e incluso la oveja, han estado presentes en nuestros fogones.

Los más jóvenes de estos ovinos han sido cocinados fundamentalmente asados y todos ellos en menestras y calderetas.

Hay dos puntos de elaboración del cordero que se corresponden con la distinta elección de su tamaño y calidad. El cordero lechal, al estilo de Castilla, resulta ideal asado entero (a poder ser en horno de leña), y su punto debe ser crujiente de piel y jugoso por dentro. Pero este tipo de carnes blancas exigen un punto de cocción superior al de las carnes rojas o rosáceas. Por eso, nunca un cordero pequeño, asado en entero, debe tener ningún punto de crudo en su interior. Por contra, los corderos grandes admiten preparaciones de asado, generalmente troceado, utilizando, por ejemplo, tan sólo el costillar. En ese caso, debe sacarse en un punto menos hecho y más rosáceo.

Otra delicia del cordero son las manitas, que son muy baratas y riquísimas. Esa gelatinosidad que poseen admite casi todas las técnicas, desde el asado hasta la parrilla o al guiso, pasando por la fritura. Son ingrediente básico de cocinas regionales de zonas como La Rioja y Castilla.

*Por Sepúlveda y Riaza,
Palencia y Aranda,
el lechazo manda.*

Cordero al tomillo

Ingredientes (4 personas):

- una pierna de cordero
- 1 cebolleta
- una pizca de tomillo
- 3 patatas
- 3 dientes de ajo
- 1/2 vaso de vino blanco
- 1/2 vaso de agua
- perejil picado
- aceite de oliva
- sal

Elaboración:

Sazona la pierna de cordero y ponla en una fuente de horno untada con aceite. Coloca alrededor las patatas, peladas y cortadas en lonchas, la cebolleta en juliana y los ajos pelados y en láminas. Espolvorea con el tomillo y agrega por encima un chorro de aceite, el vino blanco y el agua.

Calienta el horno previamente y después introduce la fuente. Hornéalo a 180°C de 40 a 45 minutos, dándole la vuelta a la pierna de vez en cuando (si ves que queda seco, puedes añadir más agua).

Una vez horneado el cordero, retira el hueso y filetea su carne. Sírvela en una fuente junto con las patatas y la cebolleta. Por último, salsea y espolvorea con perejil picado. ●

Trucos y consejos

🌺 **Se han de evitar los cortes en los que la grasa de cordero aparezca quebradiza y oscura.**

🌺 **El cordero lechal debe presentar un color rosa pálido con leves vetas de grasa blanca.**

🌺 **Los cortes de corderos mayores, como el pascual, cordero que nace por Navidad y se consume en la siguiente primavera, son más rojos y algo más grasientos.**

🌺 **Las partes menos grasas del cordero son el costillar y la pierna.**

Los embutidos

En principio, los embutidos se preparan con carne de cerdo, a pesar de que también puede intervenir la carne de vacuno. El chorizo, el salchichón, el salami, las salchichas, las morcillas, son unos pocos ejemplos de la enorme variedad de embutidos que existen no sólo en nuestros mercados sino por todo el mundo.

Las carnes pueden estar reducidas a puré, picadas o troceadas. Pueden llevar especias, frutos secos, verduras, como cebolla o puerro; puede adicionarse arroz, o incluso otros cereales como la cebada. Hay dulces y salados y algunos se hacen con la sangre del cerdo y otros sin ella.

Los embutidos, como su propio nombre indica, van metidos en una envoltura que ha sido tradicionalmente de tripa de animal (los intestinos), aunque actualmente hay embutidos industriales en los que se utiliza tripa sintética.

En nuestro país contamos con muchas variedades de embutidos, todas ellas con mucho fundamento. En Cataluña y Baleares existe una gran tradición en embutir, pero no hay una zona o región que no presuma de sus ricos embutidos. Hay embutidos que tienen que volver a calentarse, freírse, cocerse... Otros se pueden comer directamente sin calentar, ya que han sido sometidos a un proceso de curación.

En la cocina

Los platos más populares del país tienen como protagonista al cerdo, al socorrido gorrino. Sobre todo, en ollas y cocidos. Así las morcillas, cuya base fundamental es la grasa y la sangre del cerdo, forman parte de los cocidos de alubias, lentejas y otras legumbres más conocidas del país. Algunos tipos de morcilla, como la gallega, se suelen comer asadas. La asturiana, por contra, siempre exige un caldo de cocción, ya que utilizan generalmente las morcillas más secas para incluirlas en la fabada. Las morcillas de verduras, como la de Ampuelo o la de Beasain (Guipúzcoa), se consumen cocidas y generalmente acompañando verduras contundentes y muy sabrosas, como la berza.

La famosa morcilla de arroz de Burgos se suele comer normalmente frita. Las butifarras catalanas, incluso las negras, se suelen tomar en crudo o guisadas. La famosa butifarra de cebolla de Alicante, muy especiada, suele participar en algunos arroces caldosos. Son deliciosas también, tanto crudas como fritas o asadas, la morcilla frita de Jaén, la del Valle de los Pedroches o la morcilla del año, también andaluza, que forman parte de la dieta rural de esa zona. También hemos encontrado platos de corte más moderno en los que interviene el interior de la morcilla, una vez que se le ha retirado debidamente la tripa y que sirve a su vez de relleno de pimientos y otras verduras.

El más popular

de los embutidos hispánicos es el chorizo. Es de textura gorda y muy especiado. Ajo, pimentón, orégano y sal son los aderezos comunes en casi todos los chorizos españoles. El resto es carne magra y tocino, generalmente embutido en tripa y curado.

Algunos de los mejores chorizos son los de Castilla y León, como los de Piedralta (Ávila), los de Soria, los de Villarcayo, Salamanca, El Bierzo (León) y Zamora, así como los pequeños y suculentos de la localidad segoviana de Cantimpalo. Son curiosos el chorizo *ceboleiro* gallego, o el chorizo ahumado de Potes (Asturias).

La morcilla es uno de los embutidos más antiguos y existen en nuestro país muchas formas de hacerla. Desde las secas y potentes morcillas asturianas, pasando por las de verduras del País Vasco, así como las morcillas dulces de La Rioja, o la butifarra negra catalana.

Trucos y consejos

❧ **Las morcillas y las salchichas frescas, así como las ahumadas, deben conservarse en el frigorífico y comerse antes de tres días.**

❧ **Embutidos secos, como el lomo y el chorizo, deben mantenerse al aire en un lugar fresco y no en el frigorífico.**

❧ **Los embutidos envasados al vacío, si se ven como mojados o correosos, es que no están en las mejores condiciones.**

❧ **Si la tripa de los embutidos queda floja y no pegada a la carne, es que estarán excesivamente secos, demasiado curados.**

Pimientos del piquillo rellenos de morcilla

Ingredientes (4 personas):
- 12 pimientos del piquillo asados y pelados
- 1 morcilla de arroz
- 1 morcilla de verduras
- 1/2 repollo
- 2 dientes de ajo
- 1/2 l de caldo de verduras concentrado (con trocitos de las verduras: puerro, cebolla, zanahoria, apio)
- aceite
- sal y agua

Elaboración:
Pon a calentar el caldo con las verduras picadas y déjalo reducir hasta que esté muy concentrado.

Mientras tanto, lava el repollo y pícalo, cuécelo en agua con sal hasta que esté tierno. Una vez cocido, escurre y reserva.

Retira la piel de las morcillas y saca su relleno. Mézclalo con el caldo de verduras, amasándolo hasta obtener una pasta blanda. Rellena con esta pasta los pimientos y reserva.

En una cazuela con aceite dora los dientes de ajo, después añade el repollo cocido y rehógalo durante un par de minutos. Coloca los pimientos rellenos sobre el repollo y déjalo hacer a fuego lento durante unos 15 minutos. Sirve. Puedes añadir por encima un chorrito de aceite crudo. •

La morcilla, viuda por su velo, picante y alegre en el puchero.

El pato

La mayoría de los patos, que por cierto proceden de China en donde representan la fidelidad, viven cerca del agua y casi todos son excelentes nadadores, pero en tierra tienen un andar torpe, de ahí ese dicho de «andas como un pato».

Hay más de 40 variedades de patos, pero la división inicial se hace entre patos silvestres y domésticos. Entre los patos salvajes, la variedad más conocida es la Colvert, que, además de ser el más grande, tiene una carne riquísima. El macho tiene un plumaje verde y gris, con pinceladas castañas y blancas.

La hembra es tan sólo de color pardo. Este pato es prácticamente sedentario, y sólo desciende al sur cuando hace mucho frío. Otros patos salvajes bien conocidos son el pato silbón, el cuchara, lavanco y el ánade rabudo. Y, por supuesto, el más gustoso de todos, el pato real o azulón. Por otra parte, entre los patos domésticos, cuyo fin fundamental es el cebado y la obtención del foie-gras, hay dos razas básicas, que son el de Berbería, llamado también pato mudo, de gran calidad de carne, y, el pato mulard, producto de un cruce entre un macho Berbería con una hembra de raza común, dando como resultado un híbrido estéril cuyo único fin es el cebado.

En la compra

Los patos salvajes se comercializan en el mercado en la temporada de caza y en tiendas especializadas. El pato mulard y el Berbería, ambos domésticos, se suelen encontrar en los mercados, más que enteros (que también se encuentran), seccionados en fresco o ya elaborados y enlatados. Así, nos encontramos los magret, que corresponden a las pechugas.

La aguja corresponde a las dos bandas delgadas musculares situadas a ambos lados del esternón. El foie-gras o hígado del pato (también de oca) se puede encontrar en fresco, cocido en conserva, o semicocido. El resto de las partes del pato se suelen vender en fresco o confitadas, como es el caso de las mollejas, las alas, el corazón y los muslos. Y también lo que se llama el jamón de pato ya curado y que suele llegar envasado al vacío.

En la cocina

El pato entero, después de limpio, se flambea, se sazona por dentro y por fuera, y está listo para cocinar. Entre otras preparaciones en entero, tanto del pato salvaje como del doméstico, es un clásico de la culinaria internacional el pato a la naranja, que actualmente se elabora con naranjas dulces, aunque la receta clásica recomendaba hacerlo con naranjas amargas. Por otra parte, en cuanto a las diversas partes del pato, podemos indicar que los magrets o pechugas en fresco resultan perfectos para hacerlos a la parrilla, fritos o asados al horno. Debe quedar siempre poco hecho en el centro. Los confitados, por contra, requieren una larga cocción a fuego suave. Para confitar se mantienen con sal al fresco durante 48 horas y, pasadas éstas, en el momento de la cocción se lavan cuidadosamente retirando la sal y se ponen a fundir, con grasa, a fuego suave. Cuando la grasa se funde, se deja cocer suavemente durante más de 1 hora. Es muy importante que la carne esté siempre cubierta de grasa. Se pueden guardar después los trozos confitados en ollas de barro cubiertos por la grasa de la cocción.

Trucos y consejos

🌿 **Estos confitados pueden formar parte tanto de un potaje de alubias como de una ensalada templada.**

🌿 **Para asar un pato o una oca hay que perforar la piel en diferentes partes durante el asado, para que el exceso de grasa caiga a la bandeja.**

🌿 **Las hembras tienen una carne más tierna que los machos, aunque también son más pequeñas.**

🌿 **A la hora de comprar un pato fíjate en su pechuga, debe ser abundante y carnosa y también es mejor que la grasa no sea amarilla sino de un tono pálido casi blanco.**

Pato asado

Ingredientes (8 personas):

- 2 patos limpios
- 4 patatas medianas
- 2 manzanas
- 4 ciruelas pasas
- puré de castañas
- 1/2 vaso de vino tinto
- 1 vaso de agua
- harina de maíz
- mantequilla
- aceite
- perejil y sal

Elaboración:

Pon los patos en una fuente de horno. Agrégales el vino, el agua, un chorrito de aceite y sal. Métvelos al horno, previamente caliente, a 200°C durante 50 minutos.

Corta las manzanas en lonchas de 2 centímetros. En el centro coloca una nuez de mantequilla y métvelas al horno hasta que se doren.

Pela y corta en paja las patatas. Fríelas en abundante aceite caliente, escúrrelas y reserva.

Con el jugo que han soltado los patos al asarlos, prepara la salsa. Primero desgrasa, quitando con una cuchara toda la grasa que haya quedado por la superficie; después vierte el jugo en un cazo, ponlo al fuego e incorpórale una cucharadita de harina de maíz diluida en agua y perejil picado. Remueve y déjala en el fuego hasta que espese un poquito.

Para servir, calienta los patos, colócalos en el centro de una fuente y cúbrelos con la salsa. Adorna con las ciruelas, las manzanas asadas, el puré de castañas y las patatas paja. ●

Anda, nada y vuela… ¿Cuál es su destino?, la cazuela.

El pavo

Oriundo de México, el pavo aún vive en estado salvaje en algunos lugares de este país, pero ya estaba domesticado en la época de los aztecas.

El pavo, llamado gallina de las Indias por los conquistadores españoles, que creían estar en la India cuando descubrieron estas nuevas tierras, hizo su aparición en las mesas europeas, principalmente en Francia, a finales del siglo XVI. Fueron los jesuitas, que los criaban en América, los que lo trajeron al Viejo Continente, de ahí que al pavo se le empezara a llamar, al principio, jesuita. De los productos traídos de América, patatas, pimientos y maíz, casi el que más pronto arraigó fue el pavo, hasta el punto de que fue sustituyendo a otras aves en las entrañables fiestas navideñas. Así, en Inglaterra destronó a la oca de estos banquetes festivos, y en Extremadura, que es por donde inicialmente entró (no olvidemos que es tierra de conquistadores), suplantó en la fiesta familiar de Navidad al capón y al pollo. Hoy día, por sus cualidades dietéticas y poco calóricas (no engorda), ha entrado de lleno en el consumo cotidiano.

paladar y a la cantidad que necesita para su consumo.

Además, según las variedades, que surgen de la raza originaria, el tamaño del animal varía bastante.

Hay pavos que lucen una corbata roja, que no es para presumir de lo guapos que son; se trata de un label rojo, garantía de calidad, que los hacen muy recomendables.

También hoy día se han creado otras razas medianas y más pequeñas, más apropiadas para los hornos que hoy poseen los hogares.

En la compra

Un buen pavo debe ser joven, estar gordo, tener el cuello grueso y la tráquea muy flexible. Cuando el animal es viejo, sus patas se vuelven rojizas y escamosas. Podemos obtenerlo en el mercado de diversas formas: fresco, congelado, entero o por piezas.

Esta última forma es muy práctica para el comprador, ya que puede elegir la pieza que más se adapte al gusto de su

En la cocina

Dice una tonadilla muy típica, «échale guindas al pavo». Bueno, pues sí, se le puede echar guindas y muchísimos otros frutos, porque el pavo sí que admite en sus rellenos y guarniciones el concurso de frutas frescas y secas.

Hay una fórmula muy implantada internacionalmente, y dado sus componentes, muy asociada a la Navidad, que es el pavo relleno de castañas.

Preparado con una salsa de chocolate constituye el plato nacional mexicano, el famoso mole poblano de guajolote.

En Estados Unidos no puede faltar en las mesas de su tradicional día de Acción de Gracias el pavo asado y relleno de mil y un caprichos.

En la cocina se denomina pava, indistintamente al macho y a la hembra. Pero la carne del macho es más seca, y conviene mecharla o albardarla con tocino fresco u otro tipo de grasa.

La mejor carne, de todas formas, es la de una pavita joven de aproximadamente 3 kilos.

Trucos y consejos

❧ **El pavo que se consume habitualmente procede de granja y es descendiente del silvestre. El salvaje es más pequeño y de carne más delicada que el de corral y, por supuesto, más sabroso.**

❧ **El pavo admite bien la congelación, sin perder ninguna de sus cualidades gustativas y alimenticias, a condición de que se descongele lentamente dentro del propio frigorífico.**

Pavo en escabeche a la antigua

Ingredientes (10 personas):
- 1 pavo limpio de 3 kg aprox.
- 2 l de aceite de oliva
- 1 l de vinagre de vino
- una ramita de tomillo seco
- 12 dientes de ajo
- 1 cebolla grande
- 4 hojas de laurel
- 15-20 granos de pimienta negra
- sal

Para acompañar:
- frutas pasas (dátiles, higos secos, uvas pasas, orejones)
- piñones
- 1/2 l de agua
- 1/2 l de vino blanco
- azúcar

Elaboración:
En una cazuela pon a calentar el agua y el vino blanco con 4 cucharadas colmadas de azúcar. Cuando comience a hervir, añade las frutas pasas troceadas y los piñones y deja hacer a fuego lento unos 10 minutos. Reserva.

Aparte, en otra cazuela grande coloca al fuego el pavo, limpio y sazonado por fuera y por dentro, el tomillo, los dientes de ajo enteros y sin pelar, la cebolla troceada, el laurel y los granos de pimienta. Añade los 2 litros de aceite, el litro de vinagre y una cucharada sopera de sal. Cuando empiece a hervir, cubre la cacerola con papel de aluminio y pon encima la tapa, para que no se evapore el vinagre. Guísalo a fuego suave durante una hora y media aproximadamente. Escurre el pavo y filetéalo. Sirve la carne acompañada de las frutas y salsea con su jugo.

Puedes tomar este plato recién hecho o conservarlo varios días en su jugo, tomándolo entonces frío, sin recalentar. ●

Una aclaración: el pavipollo es la cría del pavo y no el fruto de las «noches locas» entre un pavo y una gallina.

Carnes y aves

El pollo

Antiguamente, el pollo era un excepcional manjar de domingos y festivos, y estaba asociado tradicionalmente con el festín familiar por excelencia, el de Navidad. Hace más de tres decenios que los pollos de granja, ante la consigna de proteína para todos, se impusieron en nuestros mercados. Así, con la

crianza masiva del pollo, su precio bajó considerablemente, ya que en tres meses se consigue «fabricar» 1 kg de carne de pollo. De todas formas, el pollo de granja fue sustituido en los restaurantes por otras aves y gallináceas de mayor prestigio gastronómico. El pollo de caserío, criado en semilibertad y de acreditadas razas, está poco a poco implantándose en todo el país, y de esta forma está recobrando un prestigio culinario que no ha debido perder porque, aparte de ser un alimento versátil, nutritivo y ligero, el pollo y las demás aves en general tienen la ventaja de contener la mayoría de sus grasas en la piel, por lo que puede retirarse si se desea. Tiene el pollo, además, la carne tierna, blanca o ligeramente amarillenta (en este último caso indica que su alimentación ha sido con maíz).

la gallina o el gallo, son la parte más importante de los recetarios. De todas formas, su preparación más importante, la más sencilla y tal vez la que resalte más su sabor, sea la del pollo asado. Pero el pollo al ajillo, la gallina en pepitoria, el gallo al vino, son guisos muy representativos de esta culinaria. Admite el pollo todos los acompañamientos imaginables, con verduras y hierbas aromáticas, escabechados y en adobo; también armonizan perfectamente con la fruta fresca, como las manzanas, peras y melocotones. Le van así mismo los frutos secos y las frutas también secas. El vino, la sidra y los licores, e incluso la cerveza, dan mucha personalidad a su sabor.

El pollo tiene una carne especialmente delicada y necesita hacerse durante bastante tiempo. Dependerá mucho también de la edad del ave, cuanto más joven sea, el tiempo de cocinado será menor, por eso los pollos jóvenes son indicados para hacer fritos o salteados. Si el ave es vieja debe hacerse durante más tiempo y la cocción debe realizarse a temperatura mucho más suave.

En la cocina

Desde luego, no es una frase hecha el decir que hay más de mil formas de hacer el pollo. Tanto en la cocina popular española como en la culinaria internacional, el pollo y otras gallináceas como la pularda,

En la compra

Podemos encontrar los pollos en las carnicerías con cabeza y patas. El carnicero los suele guardar dos o tres días para que desarrollen el sabor, antes de ponerlos a la venta. Un pollo fresco y joven debe tener la piel tersa y sin grietas. El pico y el esternón ligeramente flexibles, el ojo brillante y poco hundido en la órbita.

Las patas deben ser de color amarillo claro, con escamas pequeñas, y la piel no debe estar pegajosa. La presencia de reflejos violetas o verdosos en la carne, el oscurecimiento del extremo de las alas, así como la decoloración verdosa alrededor del cuello, son claros síntomas de que este pollo está un poco «ful».

Entre las distintas gallináceas que podemos encontrar en los mercados podemos diferenciar, por un lado, los pollos pequeños muy jóvenes, llamados tomateros, son pollos de grano criados en el corral y pesan alrededor de 1 kilo; por otro lado, están los picantones, que son pollos aún más pequeños, pesan alrededor de 1/2 kg y tienen un mes de vida. La pularda es una pollita nueva, de 6 a 8 meses de edad, que no ha puesto huevos y cebada para alcanzar un peso de 6 a 8 kilos.

Mención aparte merece la gallina, que ya es ponedora, con una carne más dura y fibrosa, y el capón. Este último es un pollo castrado durante el tercer mes de su vida. Se le encierra en jaula y es cebado. Como se ha dicho, no sólo se le priva de los medios para reproducirse, sino que se le mantiene en soledad. Encerrado a oscuras se le obliga a comer y se le lleva a una gordura a la que no estaban destinados por la naturaleza. Son célebres los capones de Villalba en Lugo.

Muslos de pollo guisados

Ingredientes (4 personas):

- 4 muslos grandes de pollo
- 1 cebolla
- 1 tomate
- 3 dientes de ajo
- 1 hoja de laurel
- 3 rebanadas de pan frito
- 50 g de jamón curado
- 1 pimiento morrón asado
- 1 vaso de vino blanco
- 2 vasos de agua
- harina
- perejil picado
- aceite
- sal

Elaboración:

Saca uno de los huesos de cada muslo y rellénalos con un salteado de jamón y pimiento morrón picados; cierra el hueco con un palillo.
Pasa los muslos, sazonados, por harina y fríelos en aceite caliente sin que se hagan del todo.
En una cazuela pocha el tomate y la cebolla picados junto con una hoja de laurel. Machaca en un mortero los ajos, pelados y troceados, y las rebanadas de pan frito. Incorpora este majado a la verdura cuando esté pochada. Después, agrega el vino blanco, el agua y los muslos de pollo. Pon a punto de sal y deja que se haga de 20 a 25 minutos. Espolvorea con perejil picado, sirve los muslos y salsea. •

Pollo asao…, asao… con ensalada, ¡buen menú, señor!

Trucos y consejos

❧ *Si compras un pollo en un supermercado y está envuelto en un plástico, conviene que lo quites al llegar a casa y lo envuelvas con papel de aluminio, si es que no lo vas a preparar inmediatamente.*

❧ *El pollo crudo no debe permanecer más de dos días en la nevera. Si está cocinado se puede guardar tres o cuatro días. Y si se congela, puede guardarse como máximo hasta seis meses. De todas formas, al ser un alimento de fácil degradación, deben tomarse las máximas precauciones.*

❧ *El caparazón y las alas del pollo se pueden congelar y ser utilizados en otra ocasión para hacer caldos y sopas. También puedes añadir este caldo para dar gusto a la masa de croquetas de ave.*

Caza

LA CAZA CONSTITUYE UNA DE LAS FORMAS MÁS antiguas de la alimentación de la humanidad. Suponía la única garantía de supervivencia para el hombre primitivo y los suyos: alimento por la carne de los animales abatidos, autodefensa contra las especies peligrosas o feroces y, además, también consideración y prestigio social por su habilidad como cazador.

La economía de la sociedad primitiva, hace cientos de miles de años, se basaba sólo en la caza. Alimento, herramientas, adornos, objetos de su decoración e incluso muestra de su arte, como las pinturas rupestres. Se ha dicho con mucha razón que la caza y la relación con ella determinaban el vínculo inicial del hombre con la naturaleza viva.

Hoy día, por supuesto, existen otras formas más sencillas y habituales de adquirir alimentos, pero la caza, no sólo como un deporte sino como un reto del hombre con su medio sigue siendo totalmente vigente.

Además, y esto es lo que más nos importa a nosotros gastronómicamente, esos trofeos son ingredientes de riquísimas preparaciones.

La carne de las piezas de caza es firme y de mucho sabor, ya que su forma de vida y alimentación caracterizan la textura y el sabor de sus carnes, dándole un perfume aromático e intenso que se acentúa con la edad.

Las divisiones fundamentales de la caza son: de pelo, con piezas mayores y menores, y de pluma.

Entre los animales mayores de pelo nos encontramos especies tan dispares como el ciervo, venado y corzo por un lado, y la cabra montés y el jabalí por otro. Como pequeños bichos de pelo pueden señalarse, fundamentalmente, a las liebres y conejos.

Entre la caza de pluma nos encontramos con el vistoso colorido de las gallináceas, como el faisán, la perdiz y las codornices, aves limícolas como la becada o la becacina, palomas y las palmípedas.

La becada

A esta ave migratoria se le ha llamado muchas veces la hechicera de los bosques. La becada o chocha no llega al tamaño de una paloma, menos de 300 g, y uno de sus caracteres principales es su largo pico, que la diferencia de otras piezas de caza de pluma.

La época de caza ideal va desde mediados de octubre hasta la primera semana de febrero, variando un poco según la climatología.

Su plumaje es de color hoja seca, lo que le permite camuflarse entre las hojas del bosque y pasar totalmente inadvertida. Por eso su caza es complicada. Su pico es largo, fino, y su punta tiene sensibilidad táctil, y además es muy curioso porque es capaz de curvarse hacia arriba, lo que le permite tener una función similar a la de una pinza, lo cual es estupendo para conseguir alimento.

La forma de su pico es lo que la diferencia de otras piezas de caza de pluma.

Con esta ave, pasa como con el pato y el cerdo, que todo es aprovechable, incluso sus intestinos, que constituyen un auténtico manjar.

primer domingo de marzo. Los precios alcanzados en el mercado se corresponden no sólo con la finura de sus carnes, sino con la dificultad de su captura. Antiguamente se dejaban asentar sus carnes hasta un grado exagerado. Hoy, la preferimos sin tanto tiempo de asentamiento, bastando con tres días para que las carnes estén en su punto. Como luego se explicará en los usos gastronómicos, las becadas hay que comprarlas sin vaciar, es decir, sin quitar las vísceras, con la excepción de la molleja.

No confundir el pollo de la becada con el correlimos gordo, que es otra ave que tiene escaso interés gastronómico.

Las becacinas, o agachadizas, son más pequeñas y su carne es más delicada, si cabe, que las propias becadas.

En la compra

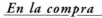

Como se ha dicho anteriormente, la temporada de esta ave migratoria se corresponde con el invierno. Por tanto, en esa época la podremos encontrar en los mercados, muchas veces con cuentagotas. En el País Vasco y otras comunidades del norte de España también se cazan hasta el

En la cocina

Es tradicional, dentro de las múltiples preparaciones de esta ave, el mantenimiento de los menudos o interiores de la misma, una vez asada. Generalmente, se colocan los intestinos y otras partes del interior del cuerpo, salvo la molleja, picados y amasados con un poquito de tocino o de foie-gras y algún licor, como el brandy.

Se suele servir untado en una tostada acompañando al ave, bien asada o estofada.

Aparte de su utilización en terrinas, mousses, o en salmís, sobre todo para aquellas becadas que sean un poco viejas y por tanto duras, la preparación por excelencia de la becada ha de resaltar su peculiar sabor a bosque de otoño.

Por eso, la forma más idónea de prepararla es la más sencilla: asada en su propio jugo y con un punto sangrante para evitar precisamente que se seque tan preciada carne.

Trucos y consejos

✥ **Hay que comprar la becada en sitios de confianza o proveerse de cazadores conocidos para conocer la fecha exacta en la que ha sido cazada.**

✥ **La diferencia entre la becada y la becacina, además de en el tamaño, está en que la primera posee unas franjas transversales en su cabeza y plumaje dorsal.**

Becadas al costrón

Ingredientes (4 personas):

- 4 becadas
- 1 vaso de vino tinto
- 1 vaso de caldo de carne
- 80 g de foie-gras
- 2 patatas
- 4 rebanadas de pan de molde, tostadas
- mantequilla
- sal y pimienta

Elaboración:

Despluma las becadas pero no las vacíes. Corta las cabezas y colócaselas a cada becada en el cuello con el pico hacia dentro. Salpimienta.

Unta una fuente de horno con mantequilla y cubre el fondo con patatas cortadas en rodajas muy finas. Coloca las becadas y rocía con el vino tinto y el vaso de caldo. Métalas al horno fuerte, previamente caliente, durante 12 minutos aproximadamente.

Reserva las becadas. Vierte la salsa del asado en un cazo, añade el foie y pon al fuego para que reduzca. Abre las becadas por la mitad (reservando las cabezas), saca los higaditos y añádelos a la salsa. Agrega también las mitades de becada y déjalo cocer durante unos minutos.

Coloca las rebanadas de pan en una fuente de servir y, sobre ellas, las becadas. Pon como guarnición las patatas y salsea. Por último, adorna con las cabezas.

También puedes acompañar este plato con puré de patatas, manzanas o ciruelas pasas. ●

Sabe a tierra y a bosque húmedo, como una seta que pica, corre y vuela.

La codorniz

La codorniz es un ave migratoria originaria de Asia. Su plumaje es pardo y se caracteriza por su vuelo corto. Vive escondida y camuflada entre los cultivos de cereales y se alimenta del grano que éstos le proporcionan.

Su carne posee un sabor delicado y, además, sus huevos son también muy apreciados en la cocina, ya que al ser tan pequeños se prestan a decoraciones muy bonitas, sobre todo para pinchos y canapés.

La codorniz es la más pequeña de las gallináceas. La parte superior de su plumaje muestra unas franjas más claritas. Los machos se diferencian de las hembras en que poseen un cuello más grueso y una especie de collar de pluma negra, y tres bandas que van desde el nacimiento del pico hasta el final del pescuezo.

Las codornices son la primicia de la caza, junto a las tórtolas.

Aunque empiezan a llegar a Europa durante la primavera, su caza no está permitida hasta después de la puesta de sus huevos, que suele ser a principios de agosto.

De todas formas, existen muchas granjas en las que se crían codornices y, por ello, podemos encontrar a lo largo de todo el año esta ave en los mercados.

En la compra

A la hora de comprar codornices es conveniente escoger piezas jóvenes, que se reconocen fácilmente porque tienen el pico más sensible y sus plumas son más difíciles de arrancar.

Donde se compren, es mejor pedir que las abran y las limpien, para luego repasar en casa flambeando los restos de plumas que queden.

Es fácil distinguir también la codorniz cazada en el campo de la de granja. Fundamentalmente, porque esta última aparece desplumada en la tienda y su carne es sonrosada. En el caso de la codorniz cazada, la carne es bastante más oscura.

Teniendo en cuenta que el período en que se abre la veda es en la mayoría de las zonas entre mediados de agosto y finales de septiembre, alrededor de estas fechas es cuando únicamente podremos encontrar la codorniz de tiro, aunque también al admitir bien la congelación se prolongue un poco esta temporada gracias a ese proceso de conservación.

En la cocina

Para cualquier receta de codornices hay que limpiarlas muy bien por dentro, vaciando las tripas. También por fuera, después de desplumadas, es conveniente flambearlas con alcohol para quitarles la pelusa.

Después se sazonan y, por último, se bridan, es decir, se atan dándoles una forma adecuada para que no se abran. En plan más sencillo, si no nos queremos complicar la vida atando las codornices, se pueden sujetar con palillos, atravesándole las patas, y así mantenerlas fijas durante la cocción.

La ración más adecuada, si se trata de codornices hermosas, son dos por persona.

Hay muchas formas de preparar esta pequeña ave, que generalmente necesita de un poco de tocino, para saltearla o asarla. Han sido famosas las codornices a la vitoriana y las llamadas a la Villapaterna, debidas hace ya muchos años al conde de Villapaterna y que consistían en rellenarlas de trufas. Son también muy conocidas las preparaciones en las cuales la codorniz se introduce dentro de un pimiento morrón grande y se asa al mismo tiempo, o las codornices envueltas en hoja de parra.

Por supuesto, las codornices rellenas abundan en las recetas de cocina, así, desde rellenarlas con frutos secos o frescos, hasta otras con diversos tipos de hígado, bien de ave o de vacuno, que le aportan la grasilla suplementaria para que resulten jugosas.

Pequeña pero «matona», de vuelo corto, pelo pardo, se camufla entre los granos.

Codornices salteadas

Ingredientes (4 personas):
- *8 codornices*
- *2 tomates*
- *300 g de setas*
- *perejil picado*
- *aceite*
- *sal*

Para macerar:
- *3 ó 4 dientes de ajo picados*
- *1 vaso de vino blanco*
- *1/2 vaso de aceite de oliva*
- *tomillo*
- *2 cucharadas de vinagre*
- *sal*

Elaboración:
Corta las codornices, ya limpias, por la mitad. Mezcla los ingredientes para la maceración y viértelo en una fuente honda. Coloca dentro las codornices y déjalas durante por lo menos 8 horas. Pasado este tiempo, saca las aves de la marinada y sazona. Fríelas en aceite de oliva hasta que estén doradas y espolvorea con perejil picado. Sírvelas acompañadas de tomate en rodajas y setas, hechos ambos a la plancha con un chorrito de aceite y sal.
Puedes rociar el plato con un poco de jugo de la maceración. ●

Trucos y consejos

❧ En septiembre la carne de la codorniz salvaje es particularmente grasa, y si llegan las lluvias cuando todavía hay grano en los campos, su carne adquiere un aroma y delicadeza exquisitos.

❧ Para obtener un rico jugo con que regar las codornices, añade unas cucharadas de agua caliente a la fuente donde las hayas cocinado. Se pone a fuego vivo y después se rasca bien con una cuchara de madera, es decir, lo que se llama desglasar.

❧ Otra forma de relleno, muy interesante para las aves pequeñas, es introducir la farsa entre la piel y la carne del bicho, ya que protege más a sus carnes.

El conejo de monte

El conejo común es de posible origen africano, habiendo pasado a la Península en época prehistórica.

Hay grandes diferencias entre el conejo de monte y los criados en granja. Los silvestres tienen el pelo más rojizo y menos espeso. Su carne es mucho más sabrosa, más tersa y tiene los aromas del monte. Pero sobre todo, son menos gruesos y más ligeros que los criados.

El conejo de monte, que es el más pequeño de la familia de los lepóridos, está extendido por toda la Europa meridional, central y occidental, así como en Australia. No puede confundirse con una liebre por su tamaño y su piel que es de un color gris leonado.

La temporada de caza del conejo empieza en octubre y se extiende hasta finales de enero o principios de febrero.

Pero en los meses de junio y agosto, en algunas zonas de España, se dan permisos especiales para su caza, ya que estos roedores con su tremenda voracidad hacen peligrar las cosechas de cereales. Esto no es nada nuevo ya que, en tiempos de la Roma antigua, en Baleares llegó a constituir una plaga y los habitantes de estas islas tuvieron que pedir al emperador que mandase a sus legiones para que los exterminaran.

Los conejos domésticos presentan canales uniformes de color rosado y uniforme, con una ligera tonalidad gris azulada. Tiene la cabeza y las orejas más grandes que los silvestres. El pelo es también más largo y denso, al igual que sus uñas, que son más grandes y blandas.

Para conocer la edad de un conejo es suficiente tocar la articulación de una de las patas delanteras. Al tacto se nota un huesecillo muy pequeño que se mueve cuando el animal es joven. Al cumplir el año, este huesecillo es rígido y ya no se mueve.

En la compra

Suele el conejo de monte llegar a pesar entre 1,5 y 2 kg. El mejor conejo es uno de carne blanca, no demasiado joven porque tendrá poco sabor, ni excesivamente viejo porque será seco y duro. No debe estar amarillento ni descolorido.

En la cocina

En el mundo gastronómico, la carne de conejo forma parte de las llamadas carnes blancas y las preparaciones que se pueden hacer con él son tan diversas como imaginación tenga el cocinero. Con arroz y abundantes verduras contagia al cereal de todo su sabor tan auténtico.

Siempre es muy socorrido, en caso de que el conejo sea un poco viejo, utilizarlo para la elaboración de un guisote. Sin embargo, un conejo joven a la parrilla, resulta siempre espléndido, máxime como en tierras catalanas cuando se acompaña

por un potente alioli. Simplemente frito, al ajillo, estofado o escabechado son otras alternativas sugerentes. Resultan también muy interesantes en ese tipo de recetas de mar y montaña que tan ricamente nos ofrecen los catalanes, y en las que su sabor contrasta con los de mariscos y pescados.

Trucos y consejos

❧ **Los conejos se limpian tan pronto como se matan y se pueden mantener refrigerados de 3 a 4 días, con los despojos aparte.**

❧ **Tanto crudo como cocinado el conejo se congela muy bien.**

❧ **La carne del conejo de monte, si se ha vaciado tras ser abatido, no necesita de adobos. De todas formas, realzaremos su sabor si antes de cocinarlo lo dejamos en una marinada de vino, condimentada con chalotas, perejil, ajo y tomillo.**

Conejo de monte en menestra

Ingredientes (4 personas):

- 1 conejo
- 2 cucharadas de harina
- 1 cebolla
- 1 zanahoria grande
- 1 puerro
- 1 pimiento morrón
- 4 alcachofas

- 100 g de guisantes
- 100 g de habas
- 1 vaso de vino blanco
- agua
- pimienta
- sal, aceite, tomillo

Elaboración:

Pica la cebolla, el pimiento, la zanahoria y el puerro. Pon todo a pochar en una cazuela con 2 cucharadas de aceite. Mientras tanto, trocea el conejo limpio y salpimiéntalo. Cuando las verduras empiecen a tomar color, añade el conejo y espera a que se ponga dorado. Entonces, agrega la harina y el vino. Cuando éste se haya reducido un poco, echa el agua hasta cubrir el conejo. Nada más empezar a hervir, es conveniente quitar la espuma. Prueba de sal. Deja que cueza una hora y cuarto, vigilando que no se quede seco. Transcurrida media hora, incorpora las alcachofas limpias y troceadas en mitades, las habas y los guisantes y espolvorea con tomillo. Deja hervir otros 10 minutos, y listo para servir. A este plato le sienta de maravilla un buen vino tinto. •

Un conejo silvestre gordo es como un atleta con michelines.

El jabalí

El jabalí es un mamífero salvaje, descendiente del mismo antepasado que el cerdo doméstico, y cazado desde la remota antigüedad. Constituye una de esas piezas de caza que desde hace muchísimo tiempo dan categoría y prestigio a un cazador. Aunque es de la misma familia que el cerdo doméstico, la carne

del jabalí se diferencia mucho de aquélla. Por supuesto que tiene más grasa que el corzo o el ciervo, pero la capa de grasa es mucho más delgada que la del cerdo.

Sus carnes muchas veces han tenido injustamente mala fama, porque se ha dicho que desprendían un «tufo» desagradable. Es una verdad a medias, ya que ese intenso olor y sabor tan especial tan sólo los tienen los jabalíes en la época de celo, o sea, de apareamiento. En los animales jóvenes y en el momento en el que no se encuentre el jabalí en esa particular época, su carne es deliciosa.

En la compra

Cuando compramos la carne de jabalí, lo más idóneo es conseguir que estos animales sean jabatos, es decir, que no hayan cumplido los dos años, o que sean animales que no se encuentren en celo. Es una tarea realmente difícil, porque es una prueba un poco a toro pasado, es decir, que sólo probando un trozo de esa carne podremos saber si el animal estaba en celo o no. Si al freír ligeramente ese trozo de

prueba desprende olor a amoniaco, es mejor casi que nos olvidemos de él, ya que aunque lo marinemos, difícilmente lograremos un buen resultado.

Como precaución es conveniente asegurarse que haya pasado algún tipo de control sanitario para que hayan sido eliminados cualquier tipo de parásitos.

La época de celo tiene lugar habitualmente entre los meses de noviembre y diciembre (aunque también en algunas otras épocas) y el período de caza va generalmente desde el 12 de octubre hasta el tercer domingo de febrero.

En la cocina

Es conveniente conservar esta caza de pelo con su piel, pero debidamente retiradas sus vísceras. Conservar el jabalí a poder ser en estancias aireadas y frías.

El período de asentamiento no debe ser mayor de una semana. Es mejor que no sea en el refrigerador, donde bajo el efecto del frío y la falta de circulación del aire, la sangre se coagula y la pieza se reseca.

Otro tema importante, sobre todo para las grandes piezas como es el caso del jabalí, es el de la marinada.

Hoy se recomienda un menor tiempo de maceración que antiguamente.

La carne del jabato, que es muy delicada y suave, no es necesario marinarla.

Los tipos de marinada pueden ser dos fundamentalmente, cocida o en crudo.

Sus ingredientes son, de todas formas, similares: vino tinto, zanahorias, cebolla, chalotas, así como tomillo, laurel, pimienta negra, en grano y otras especias, como clavo y bayas de enebro, y una cabeza de ajo entera sin pelar.

Trucos y consejos

❧ Lo mismo que el cerdo, el jabalí debe estar cocinado a fondo, sin el menor rastro de rosado.

❧ Es importante no cocinar la caza nada más salir de la marinada; es mejor que repose en el frigorífico sobre una rejilla, escurriéndolo bien. La humedad, en contacto con el calor, tiende a formar una costra y endurecer la carne.

❧ El marinado de las grandes piezas de caza de pelo, no sólo ablanda la carne sino que impide la proliferación de microbios.

Lomo de jabalí marinado

Ingredientes (4 personas):
- *1 kg de lomo de jabalí limpio*
- *3 ó 4 dientes de ajo*
- *1/4 l de vino de Oporto*
- *1/4 l de vino tinto*
- *aceite*
- *tomillo*
- *romero*
- *pimienta negra*
- *sal*

Para la guarnición:
- *puré de castañas*
- *puré de manzana*
- *2 plátanos*
- *una nuez de mantequilla*

Elaboración:
Coloca el lomo entero en un recipiente y cúbrelo con los dos tipos de vino. Añade las hierbas aromáticas a tu gusto y el ajo machacado y déjalo marinar en el frigorífico 24 horas.
Corta el lomo de jabalí en rodajas, ni muy finas ni muy gruesas, y salpimienta. Hazlas a la plancha con un chorrito de aceite, vuelta y vuelta, para que no se seque, y colócalas en el plato. Saltea los plátanos en trozos con la mantequilla y añade un poco del líquido de marinar. Por último, sirve el jabalí acompañado con los purés y el plátano salteado. •

Salvaje y fiero marrano con pelo, delicado jabato, puede acabar en el plato.

La liebre

Este lepórido es una de las especies más difundidas desde el Polo hasta el Mediterráneo. Muy apreciado ya en la antigüedad, en donde se consumía en los más elegantes banquetes, los romanos nos legaron en sus recetarios hasta 30 maneras de cocinarlo.

La liebre común es originaria y vive en Europa central y meridional. En la zona central de España existe una especie velocísima y muy pequeña, que se le llama macatán.

También se ha exportado a Argentina y a Nueva Zelanda, donde se ha aclimatado perfectamente.

El tamaño reducido no es representativo de la edad.

Además de la liebre europea, existe también la liebre de montaña o liebre de los Alpes, de mucho mayor tamaño; habita en Escocia, las regiones septentrionales de Europa, así como en Canadá y, por supuesto, en los Alpes.

La liebre es un bicho muy listo que se adapta a todos los terrenos, sorprendiendo al cazador. De ahí viene el dicho, «de dónde menos se piensa, salta la liebre».

de su piel, con su vientre blanco, es muy diferente al color gris leonado del conejo. El tamaño es también otra de sus diferenciaciones, la liebre puede pesar entre los 3 y 4 kg. Lo que resulta curioso es que aun siendo los dos de la misma familia, lepóridos, no se haya producido jamás ningún cruce entre ambos. O sea, juntos pero no revueltos.

En la compra

Las mejores liebres son las de menos de un año y, como sucede en los conejos, se debe tocar la primera articulación de las patas delanteras para conocer su edad; si se siente un huesecillo del tamaño de una lenteja que se mueve, es que la liebre es joven.

La liebre se diferencia fácilmente del conejo del monte. El color pardo rojizo

En la cocina

Su carne es mucho más oscura, casi negra, y su sabor más fuerte que la del conejo. Además es más fibrosa. Si el animal es mayor necesitará más reposo.

Admite un montón de formas de prepararla, similares a las del conejo de monte: asada, con arroz o encebollada. Pero tal vez la más famosa de todas sus recetas sea la de civet de liebre, o al menos de la que más se ha hablado. En realidad, se puede preparar con cualquier clase de animal de caza de pelo, pero, sin duda alguna, el más reconocido es el de liebre. Es curioso que el nombre de este plato

no provenga del elemento más característico del mismo, como es la utilización de la sangre del animal, sino de otro de sus componentes como es la cebolla tierna.

Para hacer este plato, si no se dispone de sangre suficiente para ligar la salsa, se puede utilizar el hígado del animal.

Trucos y consejos

🌿 *La más liviana de las liebres es el lebrato, la cría de las mismas, que tiene tres o cuatro meses de edad y se caza al iniciarse la temporada.*

🌿 *Una liebre adulta puede dar de comer o servir de ración a cuatro personas.*

🌿 *Las liebres tienen unas glándulas ocultas a izquierda y derecha de la raíz de la cola, que deben eliminarse antes de desollar el animal ya que, en caso contrario, al cocinar la carne amargará y será desagradable.*

Liebre con arroz y pimientos

Ingredientes (4 personas):
- *1 liebre de 1 kg aproximadamente.*
- *300 g de arroz*
- *3 pimientos verdes o rojos*
- *1 cebolleta*
- *1 tomate*
- *3 dientes de ajo*
- *agua, aceite y sal*

Elaboración:
Trocea y sala la liebre. Después, ponla a dorar en un recipiente con un poco de aceite. Cuando esté dorada añade los pimientos en tiras, la cebolleta, el tomate, todo bien picado, y los dientes de ajo enteros. Rehoga bien, agrega el arroz, volviendo a rehogar, y añade el doble y un poco más de agua o caldo que de arroz. Da un hervor fuerte y termínalo de cocinar a fuego suave unos 20 minutos aproximadamente, poniendo a punto de sal. Si lo deseas, puedes añadir alguna especia. •

La liebre es tímida, el gato descarado, y un poco sinvergüenza el que te la ha cambiado.

La paloma

La paloma es un ave de la que hay más de 300 variedades diferentes. Podemos inicialmente dividirlas entre domésticas y salvajes. Las primeras apenas se utilizan en la cocina, al contrario que las silvestres, que tienen numerosas utilidades gastronómicas. Otra cosa ya es el pichón, que es el palomo joven que suele criarse en granja con óptimos resultados.

La paloma salvaje atraviesa dos veces al año los cielos de nuestra tierra, lo que se llama la pasa y la contrapasa.

La tórtola es también un ave de la familia de las palomas, es decir, de las columbiformes, más pequeña que ésta, con la cola más larga y en forma de abanico. Junto con las codornices, constituye la avanzadilla veraniega de lo que será luego la caza otoñal.

En realidad, todas las palomas son comestibles, pero también es cierto que hay unas mejores que otras. Es muy divertida la anécdota que me contaba un veterano gastrónomo que recordaba cómo en nuestra guerra civil dos soldados con una gazuza de aúpa, asaban una paloma en la que habían recibido un mensaje, y uno de ellos le comentaba al otro, «... desde luego qué bueno sería que en vez de palomas enviaran vacas volantes...». Pero bromas aparte, la paloma ha gozado siempre de un gran prestigio y ha representado valores muy espirituales, como la paz.

En la compra

Tres son las variedades fundamentales de palomas silvestres que se ven en este país: bravía, torcaz y zurita. Las tres buscan cálidas tierras en invierno y lo hacen con ligeros desfases en el tiempo de pasa. En septiembre surcan los cielos las palomas bravías, y en octubre y noviembre, dependiendo mucho de la climatología más o menos fría, las zuritas y las torcaces.

Tal vez la más apreciada de todas, al margen naturalmente de la tórtola, sea la paloma torcaz. Se distingue fácilmente porque es la mayor de todas ellas, alrededor de 500 g de peso, de plumaje gris azulado. Los ejemplares jóvenes no tienen manchas blancas en el cuello.

Para saber si una paloma es joven o no, nos fijaremos en su piel, que deberá ser rosada y su pico flexible.

En la cocina

La paloma silvestre tiene fama de cierta sequedad en sus carnes. Por eso, las recetas más aconsejables siempre tienden a aportar jugosidad a sus, eso sí, perfumadas y prietas carnes. Evidentemente, el pichón o palomo joven, que suele pesar entre 350 y 600 g, criado en semilibertad pero en granjas, tiene una carne mucho más tierna, que suele comerse asada pero que admite

otras muchas preparaciones en guisos y estofados.

Volviendo a las palomas, hay que señalar que las más viejas se pueden emplear para la elaboración de fondos de caza y todas aquellas preparaciones que exijan una larga cocción, ya que, al ser más duras, necesitan hacerse lentamente durante más tiempo, recuperando los jugos y líquidos perdidos.

Tanto en pichones como en palomas jóvenes es conveniente, si se van a asar, hacerlo durante poco tiempo y, a poder ser, sólo las pechugas. Los muslos podemos aprovecharlos de otra forma.

Trucos y consejos

🌿 *El hígado de la paloma y el pichón no tiene hiel, por lo que no resulta necesario eliminarlo al cocer el ave.*

🌿 *Estofada y asada aporta idénticas calorías, pero cocinada de esta última manera contiene menos grasas.*

🌿 *El pichón ha de ser muy joven, tanto es así que cuando llega al año de edad ya se considera viejo para cualquier preparación culinaria.*

Palomas al vino tinto

Ingredientes (4 personas):

• *4 palomas (sólo necesitaremos las pechugas)*
• *1 zanahoria*
• *1 puerro*
• *1 cebolla o cebolleta*
• *1 hoja de laurel*
• *orégano o tomillo*
• *vino tinto*
• *puré de manzana*
• *aceite*
• *pimienta negra en grano*
• *sal gorda*

Elaboración:

Con las palomas en crudo y limpias separa las pechugas del caparazón. En una cazuela pon las pechugas salpimentadas junto con la zanahoria, lo blanco del puerro y la cebolla (cortadas todas las verduras en juliana), unos granos de pimienta, el orégano o tomillo, el laurel y el vino. Mételo durante 36 horas al frigorífico para que macere. Transcurrido este tiempo, saca las palomas de la maceración, cuela el caldo y caliéntalo durante 30 minutos hasta que reduzca en una tercera parte. Si la salsa queda muy ligera, puedes añadir un poco de fécula disuelta en agua. Haz las pechugas a la plancha, vuelta y vuelta, con un chorro de aceite, durante 3 ó 4 minutos.
Por último, sirve las pechugas (enteras o en rodajas) en una fuente, cubre con la salsa y acompaña con el puré de manzana. •

Pasa y contrapasa, un placer de la caza, tanto como guisarla.

La perdiz

Dentro de los placeres otoñales de la caza, aparece la perdiz como una de las piezas más cotizadas de los cazadores. Se dice que un buen cazador de perdices puede presumir de ser capaz de «vérselas» con cualquier otro tipo de caza, por ser ésta una de las piezas más difíciles de recuperar una vez abatida.

La perdiz macho se diferencia de la hembra en que aquélla presenta dos o tres espolones en las patas, mientras que la hembra posee sólo uno y los pollos, también llamados perdigones (de menos de un año), ninguno.

Hay una cosa muy divertida que no pasa de ser una leyenda, pero que define muy bien lo que es la perdiz. Se dice en Grecia, según su tradición popular, que la perdiz fue antes un joven llamado Perdix, sobrino de Dédalo, y como era muy listillo, su tío lo tiró desde una torre, siendo la diosa Minerva la que le salvó de morir, pero convirtiéndole a cambio en esta gallinácea. La perdiz, desde entonces, además de ser muy lista, no vuela ni se refugia en los árboles, recordando aquel tiempo pasado en el que se cayó.

Por contra, la perdiz roja es más grande que la gris y su plumaje también es más vistoso. La parte alta de su cuello es de color blanco y tiene un collar de plumas negras que le sale desde los ojos. El pecho es de color gris y en sus costados aparecen estrías con plumas de tres colores, blancas, leonadas y negras.

Para saber si son jóvenes y frescas debemos fijarnos en el pico, cuya parte de abajo deberá ser blanda, y también en la pluma grande de las alas. Si es puntiaguda, el ave es joven, pero si está redondeada en el extremo es signo de

que la perdiz es vieja.

Aunque es un animal de caza y su temporada va entre los meses de septiembre a noviembre, con el tiempo se ha ido adaptando a ser criada en cautividad y hoy día podemos encontrar en el mercado perdices de caza o de granja.

En la compra

Generalmente, en el mercado la perdiz gris o pardilla, sea macho o hembra, tiene un peso parecido: unos 400 gramos. La parte superior es rojiza con rayas pardas y negras que lo atraviesan. En el pecho tiene una mancha en forma de herradura, de un color castaño más oscuro.

En la cocina

Hay que decir, ante todo, que el conocido dicho «la perdiz cuando da en la nariz», ya está pasado de moda y aunque necesita un asentamiento como el resto de las piezas de caza, éste no debe ser tan prolongado como antiguamente tanto gustaba. Precisamente por esta excesiva tardanza en comerla, los condimentos de la perdiz, antaño, eran muy potentes. Hay fórmulas muy clásicas de la cocina española. Ahora bien, la más divertida de todas es la de aquel cocinero que la asaba con una sardina salada en su interior. A lo mejor, era para los días de abstinencia.

Hablando más en serio, otra de las fórmulas interesantes y tradicionales de nuestra cocina es la receta extremeña de la perdiz a la moda de Alcántara, que fue una receta creada por los benedictinos en el monasterio de Alcántara y que los franceses, después de la guerra de la Independencia, la importaron a París. Se trata de una receta muy elaborada, con vino de Oporto y en el que intervienen también esa especie de trufas extremeñas llamadas criadillas de tierra. También se ha asociado mucho la perdiz, en las preparaciones clásicas, a ese producto traído de América y que se consume fundamentalmente como bebida o en repostería, el chocolate.

*Siempre pegadas al suelo,
ni a tiros remontan el vuelo.*

Perdiz estofada

Ingredientes (4 personas):

- 4 perdices
- 6 cebolletas
- una cabeza de ajos
- 2 hojas de laurel
- tomillo
- perejil picado
- 1/2 l de agua
- 1/2 l de vino blanco
- 1 manzana
- aceite
- pimienta negra en grano
- sal

Elaboración:

Corta las cebolletas y ponlas a rehogar en una sartén con aceite. Añade la cabeza de ajos, las perdices limpias, el tomillo, la pimienta y el laurel. Sazona. Luego agrega el vino, el agua y deja cocer a fuego lento hasta que esté hecho (aproximadamente una hora y media). Coloca las perdices en una fuente de servir y manténlas calientes.

Pasa la salsa por el pasapurés, pon a punto de sal y espolvorea con perejil picado. Reduce la salsa al fuego unos minutos y, si hiciese falta, lígala con fécula de patata.

Cubre las perdices con la salsa y adorna con unas rodajas de manzana fritas. •

Trucos y consejos

Las perdices son mejores jóvenes, de unos tres meses. Una perdiz joven pesará aproximadamente unos 450 gramos.

Las perdices jóvenes necesitan estar poco tiempo reposando, porque el exceso de envejecimiento les hará perder su delicado sabor.

Para desplumar las aves bien hay que mantenerlas varias horas en el refrigerador. Así las carnes quedarán prietas y no se desgarrarán. Otro sistema consiste en escaldarlas bien en agua hirviendo, así se retirarán fácilmente las plumas.

Frutas

LAS FRUTAS NO SÓLO SON LA REPRESENTACIÓN MISMA de la tentación (no olvidemos que por un fruto, tal vez la manzana, fueron expulsados los primeros padres del Paraíso), sino también son el símbolo mismo de la abundancia, representada en un cuerno atiborrado de ellas. Es que con las frutas, la vida es buena y la naturaleza generosa. Las hay de carne firme con o sin hueso, las hay crujientes y blandas, hay agrias como globos llenos de zumo, las hay que se comen a cucharilla y otras que hay que romperlas casi a mazazos, tan dura es su piel; otras, por contra, se asemejan a la piel de un bebé. Hay algunas secas como una magdalena y otras tan jugosas que parecen una fuente.

Los frutos silvestres fueron los primeros alimentos del hombre primitivo y es que éste debió sentirse muy atraído por su color y belleza. Y, seguramente, se dio cuenta que eran comestibles cuando vio a los animales más afines, como los primates, que se ponían «ciegos» de ellas.

Además, las frutas son junto a las hortalizas la gloria de esa dieta tan sana que es la llamada mediterránea.

Aportan montones de vitaminas, minerales, fibra, azúcares y, por lo general, son bajas en calorías debido a que su contenido mayoritario es el agua.

Las frutas ofrecen además grandes posibilidades gastronómicas. Solas o azucaradas, licuadas o troceadas, en purés acompañando elementos cárnicos y grasos, por no hablar de sus zumos hechos alcohol como es la sidra y el vino y de su intervención en múltiples licores.

Y encima, por si fuera poco, la mayor parte de ellas se perpetúan en seco aportándonos energía y fibra.

El aguacate

El aguacate es un fruto subtropical y, al parecer, fueron los aztecas quienes consiguieron las variedades de fruto comestible.

El árbol del aguacate puede ser pequeño, de 2 a 5 metros, o crecer recto y llegar a medir incluso 20 metros. Las flores son de color amarillo verdoso. Los frutos crecen en racimos de 3 y 5 aguacates. Estos árboles son muy sensibles a las heladas invernales, que les afectan totalmente, por ello sólo se dan en zonas de climas cálidos. El peso estándar del fruto suele ser de 250 g, aunque se han conocido aguacates de hasta kilo y medio.

Existen aguacates que aparecen en verano y otros que lo hacen en invierno. Los de verano tienen la piel áspera y granulosa y su carne es de color amarillo dorado, mientras que los de invierno tienen forma de pera, su piel es lisa y de color verde y la carne va del verde pálido al amarillento.

en el primer caso, tenemos una solución sencilla, dejarlos que maduren en casa envueltos individualmente en papel.

Las variedades que normalmente encontraremos en el mercado son la llamada Fuerte, de piel verde, y la Hass, de piel rugosa verde que va oscureciendo según se produce la maduración. Esta última variedad es más gustosa.

En la compra

El único secreto del guacate es comprarlo en su punto, mi muy verde ni muy maduro.

Generalmente es una fruta que se lleva al mercado cuando todavía está bastante verde, ya que su transporte es bastante difícil, pues se deteriora fácilmente si se golpea o aplasta. Si está un poco verde es más resistente, aunque con ello se pierdan algunas de sus cualidades.

De todos modos, es mejor comprarla un poquito verde que muy madura, ya que

En la cocina

Para saber en la cocina si un aguacate está maduro basta con presionar con un dedo y comprobar que la piel ceda. Entonces es el momento de poder conservarlo en la parte baja del frigorífico. Cuando aún está un poco duro, lo que hay que hacer es envolverlo en papel de periódico durante unos días. Es muy importante no utilizar nunca aguacates verdes ni para consumir en fresco ni en la elaboración de platos o ensaladas. Además de resultar francamente indigestos, tampoco su sabor ni su textura son buenos.

El aguacate, agradable y nada fuerte, es muy adecuado en la cocina ya que nunca «mata» el sabor de otros productos utilizados. Aunque por su riqueza en grasas

debe evitarse utilizarlo con alimentos en los que abunde ese nutriente. Sin embargo, es ideal para mezclarlo con gambas, pollo cocido, atún, verduras, huevos cocidos, en ensaladas.

Pero no sólo es bueno, sino también sano. Tiene un gran valor alimenticio, ya que ninguna otra fruta fresca tiene un porcentaje tan alto de materia seca. Contiene muy poco azúcar y no tiene féculas de ninguna clase; por el contrario, la proporción de proteínas es la más elevada de todas las frutas. Además es muy rico en sales minerales y vitaminas.

Trucos y consejos

Nunca debemos intentar madurar aguacates sobre un radiador o por medio de calor directo, ya que se estropean rápidamente y toman un sabor muy amargo.

Los aguacates enteros no se congelan bien. Si queremos congelarlos, hay que extraer la pulpa, aplastarla bien y mezclarla con un poco de zumo de limón.

Cuando elaboremos platos a base de aguacates, no debemos olvidar que la sal debe echarse en el momento de ir a comerlos, pues si se pone con anticipación hará que los aguacates acaben oscureciéndose.

Crema de aguacate

Ingredientes (4 personas):
- 4 aguacates
- 100 g de nata líquida
- 2 cucharadas de azúcar
- canela en polvo
- 1 limón
- 100 g de nata montada
- 12 fresas

Elaboración:
Pela los aguacates, córtalos en trozos y añade el azúcar, la canela, el zumo de limón y la nata líquida. Tritúralo y con el puré obtenido llena cuatro copas, decorándolo con la nata montada y las fresas.
Espolvorea con canela y sirve. •

¿Sabíais que antiguamente se utilizaba una sustancia del hueso del aguacate para teñir las telas de un vivo color rojo?

El albaricoque

*Si hay una fruta veraniega, esta es el albaricoque.
Redondito y gustoso, el albaricoque, también llamado
albérchigo en algunas regiones españolas,
es como un mini-melocotón, muy pálido de color.*

*Su sabor es dulce y realmente exquisito, sobre todo, claro
está, cuando se encuentra en plena madurez. Yo no sé por qué
en algunos países sudamericanos lo llaman chabacano;
de eso nada, es un fruto pequeño pero muy elegante.*

*Lo que resulta chocante es que no es rico en azúcares,
pese a que tiene ese sabor dulce.
Ahora bien, está a «tope» de vitamina A.*

*Dicen que lo trajeron, como tantas otras cosas, de China,
durante las campañas de Alejandro Magno, pero
verdaderamente a quien debemos su implantación,
como ya ha ocurrido con muchos otros productos,
es a los árabes, que nos prestaron hasta el nombre.*

o envasado, no alcanzando, en todo caso,
la importancia del melocotón.

Los albaricoques más famosos de toda
España nos llegan desde la fabulosa huerta
murciana, y representan más de la mitad de
la producción nacional. Y las variedades más
cultivadas en nuestro país son el Real Fino, la
llamada Mauricio, Canino, Bulida y sobre
todo el más conocido, que es el Moniqui.

En la compra

No se puede
concebir un verano
sin albaricoques.
Es como si nos quitan las playas, el monte
y el calor. En los primeros días de junio
aparece discretamente en los mercados
esta fruta procedente de una planta
que no teme ni al calor ni a la sequía
pero que es muy sensible a las heladas.

Se mantiene esta fruta en el mercado
hasta el mes de septiembre en sus
variedades más tardías, debiéndonos
contentar el resto del año con comerlo seco

En la cocina

Aunque se
consume
principalmente crudo
y fresco, tiene otras
aplicaciones, como las mermeladas
y confituras. Sin olvidarnos, por supuesto,
de los orejones frescos, de múltiples
aplicaciones no sólo en repostería sino como
acompañamiento de aves y asados de carnes.
Entre estas últimas, es muy aconsejable
acompañarlo con las de carne de cerdo
ya que suaviza enormemente las grasas
contenidas en estas carnes y, al mismo
tiempo, le aporta ese toque azucarado que le
va de perlas a la crujiente piel de un gorrino.

Por otra parte, el desecado de esta fruta puede ser realizado de forma casera. Para ello, abrimos los albaricoques y les quitamos el hueso. Si son muy grandes lo mejor es partirlos en dos. Simplemente los exponemos al sol en un enrejado de madera. Al cabo de pocos días adquieren un color rojo oscuro. Después, se aplastan con los dedos de una forma regular hasta conseguir su característica forma.

Trucos y consejos

🌿 **El albaricoque es un fruto muy frágil, que soporta mal los viajes. Debes tratarlos con mucho cariño y colocarlos en el refrigerador con mucho cuidado.**

🌿 **Si el albaricoque se muestra ácido y duro, aparte de resultar muy indigesto, es casi incomestible y poco agradable al paladar.**

🌿 **Procura no comer la semilla contenida dentro de su pulpa, en forma de almendra cubierta con una gruesa corteza de sabor amargo, ya que no es comestible y su interior se puede decir que es hasta venenoso, especialmente para los niños.**

Hojaldre de pasas y albaricoques

Ingredientes (4 personas):

- 200 g de pasta de hojaldre
- 140 g de pasas de Corinto
- 8 orejones de albaricoque
- 2 cucharadas de almendras picadas
- 8 cucharadas de crema pastelera
- 1/2 l de brandy
- 1 huevo batido
- un poco de agua
- azúcar glas

Elaboración:

Pon las pasas y los orejones a remojo en el brandy. Al cabo de una hora escúrrelo bien. Mézclalos con la crema pastelera y las almendras tostadas y picadas.

Extiende la pasta y divídela en dos rectángulos largos y estrechos, dejando uno un poco más grande que el otro. Coloca el rectángulo de hojaldre más pequeño en la placa del horno y cúbrelo con el relleno obtenido anteriormente. Unta con agua los bordes que habrán quedado libres. Cubre con el rectángulo grande de hojaldre y adhiérelo al primero con la yema de los dedos. Puedes decorarlo con tiras de hojaldre sobrante. Pinta la superficie con huevo batido y mete el hojaldre al horno ya caliente a 170 ó 180°C durante 30 ó 35 minutos. Antes de servir, déjalo enfriar. Decóralo espolvoreando con azúcar glas ayudándote de un colador. •

Aunque es típico del verano, en mermelada o seco, no te prives de él ningún día del año.

La cereza y la guinda

Hay muchas plantas que se defienden del calor y de las sequías gracias a una protección de pelos y espinas. Sin embargo hay otras, como las cerezas, que se protegen de las lluvias excesivas que podrían deslavarlas con un revestimiento exterior de cera sobre el que resbala el agua. Precisamente el nombre de esta fruta alude directamente a esta cera protectora. Es, desde luego, la cereza una «gozada» veraniega, con un montón de colores que alegran nuestros mercados. Hay unas de un rojo casi negro, como es el caso de las picotas, y otras que son de un rojo brillante. Entre ambas, se dan todos los tonos del rojo.

Tampoco por dentro son iguales, ni de sabor, ni de jugosidad, ni de textura. Dicen que el origen de la existencia de tanto cerezo silvestre en Europa, se debe a la costumbre que tenían los soldados romanos de las legiones de comer cerezas en sus marchas y arrojar las pepitas al suelo. No es de extrañar, porque es un vicio pasear por el campo comiendo casi glotonamente estas brillantes y pequeñas frutas.

En la compra

*P*odemos encontrar en los mercados cerezas con rabo, cosechadas de esta forma para que tengan una mayor consistencia y evitar que el fruto se desangre, es decir, que pierda todos sus jugos, cosa que ocurre fácilmente si se le quita el rabo. Esto sucede con las cerezas que son blandas de textura. En las variedades más resistentes, como, por ejemplo, las picotas, se suelen comercializar sin rabo ya que tienen una piel y una pulpa consistente e incluso crujiente. Hay también una variedad muy propia de la zona castellana que es muy pálida, de color marfil. No significa que esté verde, sino que la variedad es así.

Entre las más famosas cerezas de nuestro país sobresalen las del fabuloso Valle del Jerte (Cáceres), pero también resultan buenísimas las picotas de la localidad navarra de Milagro o las cerezas rojas de Alicante y del Bajo Llobregrat.

En la cocina

unque la cereza no sea un portento en el tema de nutrición y su valor calórico sea bastante bajo, no por ello es una fruta a no tener en cuenta. Tal vez como más se consuma es de postre o de desayuno, tal cual. Pero interviene también en muchas preparaciones culinarias. La más típica de todas es la de las confituras y mermeladas. Dulces que van de perlas, no sólo para desayunos reparadores, sino también como guarnición de platos de caza, particularmente en recetas de estilo centroeuropeo y en las que intervienen grandes piezas como el jabalí o el ciervo.

Las tartas de queso, de crema o de otro lácteo, parece que están pidiendo a «gritos» una cobertura de mermelada de esta fruta. Su sabor ácido y dulce a la vez compagina perfectamente con el sabor levemente amargo de estos lácteos.

Una de las utilizaciones más felices de las cerezas es la de la preparación de un aguardiente que se denomina kirch.

Antes de comértelas no olvides colgártelas de las orejas.

Flan de guindas

Ingredientes (6-8 personas):
- 1 l de leche
- 200 g de macedonia de frutas
- 6 huevos
- 1/2 copa de licor de frutas o brandy
- 3 bizcochos de soletilla
- 4 cucharadas de azúcar
- 200 g de guindas rojas y verdes
- caramelo para el molde

Elaboración:
Prepara un caramelo con azúcar y un poquito de agua y baña con él las paredes y el fondo de un molde. Trocea los bizcochos y las guindas, ponlos en el molde caramelizado y empápalos con el licor. Déjalos así un rato.

Aparte, en un cuenco, mezcla los huevos y el azúcar. Bate muy bien y añade la leche hervida. Vuelca la mezcla en el molde y ponlo al baño María en el horno a 160°C durante unos 40 minutos aproximadamente.

Una vez hecho, déjalo enfriar y desmolda. Acompaña este flan con la macedonia de frutas.

Trucos y consejos

Las guindas son de una apariencia similar a las cerezas, pero su sabor es mucho más amargo, produciendo unos aguardientes característicos.

Al hacer una mermelada o confitura con cerezas ten en cuenta que debes reforzar su color con alguna otra fruta roja (grosellas, frambuesas...) ya que si no quedará de un tono muy pálido.

Aunque la palabra kirch designe al aguardiente de cerezas, hay mucho sucedáneo en el mercado. Uno genuino es el elaborado por las cooperativas del valle del Jerte, que garantizan su autenticidad y calidad.

La ciruela

Esta sí que es una fruta compleja. Hay tantos gustos, colores y formas como las múltiples variedades de la misma.

Entre sus gustos, existen desde las que son pura miel hasta otras muy sosotas, e incluso algunas extremadamente ácidas.

Entre sus colores, hay especies verdosas, otras rojas, violetas o amarillas. Un dato muy curioso es que generalmente su carne interior no se corresponde con su vestimenta.

Su valor alimenticio es muy grande, sobre todo por el alto porcentaje en azúcares. Ahora bien, hay que tomarla con cierta moderación pues tiende a aligerar mucho el intestino, es decir, tiene grandes propiedades laxantes, así como pocas vitaminas y abundante agua.

Su origen resulta incierto, aunque parece ser que las variedades europeas podrían provenir del Oriente Próximo. Desde allí, su cultivo se extendió por todo el Mediterráneo.

En la compra

Siguiendo un poco el itinerario estacional de las distintas variedades de ciruelas, hemos de hablar en primer término de la llamada japonesa amarilla, que nos deleita en plena madurez, hacia primeros de junio. Ya a comienzos del mes de julio aparece la que se ha denominado con justicia la reina de las ciruelas, la Reina Claudia, que toma este nombre de una reina francesa. Es una fruta aparentemente insignificante, verdosa y no excesivamente bella, pero es, sin lugar a dudas, jugosa y exquisita de gusto. En agosto podremos adquirir otras ciruelas estupendas, como son la Santa Rosa y la Fraila. E incluso hay variedades tardías que llegan a finales de octubre, como son la Arandana y la Harris Monarc.

Cualquiera que sea la variedad que compremos, hay que escogerla bien madura, nunca blanda, arrugada ni manchada.

Si tiene una leve capa de polvillo blanco mate en su superficie, será un signo de que no ha sido manoseada.

En la cocina

Por supuesto que su consumo en fresco es su aplicación más óptima. Pero en confituras y mermeladas, junto con el melocotón y el albaricoque, son las estrellas de las conservas.

La desecación es otra de las alternativas interesantes de esta fruta. Las ciruelas pasas forman parte inseparable de las mejores compotas invernales, sobre todo en conjunción con la pera, la manzana y los orejones.

Podemos utilizarla también en numerosas preparaciones saladas, particularmente en las que se refieren a la caza, mayor o menor.

Son riquísimas las ciruelas maceradas en algún aguardiente y en un brandy. Sin olvidar, por supuesto, los magníficos aguardientes alsacianos y de Centroeuropa obtenidos por la destilación de este fruto, con un perfume único.

Conejo con ciruelas pasas

Ingredientes (6 personas):

- 1 conejo de 1,300 kg
- 1 vaso de jerez seco
- 1 cucharada de harina
- 1 cebolla
- 12 ciruelas pasas
- un poco de tomillo
- un poco de laurel
- 100 g de panceta
- aceite
- pimienta negra
- sal

Elaboración:

En una sartén pon a rehogar la cebolla picada.

Mientras, salpimienta el conejo ya troceado y agrégalo a la cebolla junto con la panceta en trocitos y la harina. Déjalo que se rehogue todo y añade el jerez, el laurel, el tomillo y unos granos de pimienta negra dándole un pequeño hervor. Agrega, por último, las ciruelas y deja cocer otros 10 minutos.

Para servir, coloca los trozos de conejo y nápalos con la salsa resultante de la cocción.. •

Si te pasas comiendo ciruelas, aliviarás algo más que las penas.

Los cítricos

El nombre de cítrico proviene del latín «citrus» que significa limón. La naranja, la mandarina y el limón son originarias de Asia, pero el cultivo en tierras mediterráneas es antiquísimo. Originariamente sólo existían alrededor de 11 especies diferentes, pero gracias a los adelantos técnicos, sobre todo a la técnica del injerto, hoy día podemos disfrutar de una infinidad de variedades; para hacernos una idea, sólo de naranjas existen 400 variedades diferentes, si bien es verdad que de ellas sólo se comercializan 30 para el consumo humano.

Todos los cítricos tienen algo en común, maduran al sol mientras están todavía en el árbol. Una vez recogidos, su desarrollo se interrumpe, y a partir de ese momento ya no ganan ni en dulzura ni en sabor.

Todos sabemos que los cítricos contienen vitamina C. También tienen características comunes: 80-90% de agua, pocas calorías, muy ricos en vitaminas y sales y contienen fibra vegetal.

En la compra

La naranja y el limón los encontramos a lo largo de todo el año en el mercado. Cuando compremos naranjas, debemos elegir las que estén firmes, la piel con su rugosidad habitual y bien tersa. Al cogerlas en la mano no deben sonar a hueco. Las principales naranjas que se ofrecen para el consumo son las lisas, dulces, de piel delgada, como las de Valencia y las sanguinas, que van desde el color dorado brillante al rojo sangre. También se pueden encontrar las naranjas amargas, generalmente procedentes de Sevilla.

En el caso de las mandarinas también hay numerosas variedades, pero las más representativas son la clementina y la satsuma, ambas desprovistas de pepitas. Hay que decir que la clementina es bastante más atractiva que la satsuma, ya que tiene un jugo muy dulce, de gusto excelente, intermedio entre la mandarina y la naranja. Aparece durante los primeros días de noviembre, manteniendo su presencia hasta finales de enero.

Finalmente, a la hora de comprar limones, debemos tener en cuenta que los de piel fina son mucho más jugosos que los de piel dura y gruesa, que tienen menos zumo.

En la cocina

En general todos los cítricos son enormemente utilizados en la mesa como postre al natural, en zumo, en repostería, en macedonias. Pero acostumbrarnos a incluir, por ejemplo, naranjas en algunos platos fuera del postre es una buena práctica: es muy sano, refrescante y, sobre todo, muy rico. Aporta un estupendo aroma a ricos platos, como el famoso pato a la naranja, y a otros no tan famosos, como el lomo de cerdo asado con salsa de naranja o la ensalada de escarola con naranja y jamón de pato.

En el caso del limón, es uno de los grandes aliados de la cocina, sus funciones son innumerables, desde ejercer como sustituto del vinagre en el aderezo de ensaladas, hasta convertirse en el protagonista básico de muchos postres y platos. Quizá donde mejor dé «la nota» sea en esos deliciosos sorbetes, mousses, mermeladas, helados, etc., en los que se utiliza tanto su piel como la pulpa y el zumo.

Al igual que el resto de los cítricos, el limón no es muy «amigo» de los quesos, carnes y pescados grasos, productos lácteos, legumbres y cereales. Pero casa a la perfección con los frutos secos, las carnes y los pescados magros.

Tanto con el limón como con la naranja, cuando vayamos a utilizar su piel, debemos lavarlas primero en agua caliente y cepillarlas después cuidadosamente.

Si durante el invierno resfriados quieres evitar..., ya lo sabes, cítricos tienes que tomar.

Ensalada de cítricos

Ingredientes (4 personas):
- 2 naranjas
- 1 pomelo
- 4 endibias
- 2 zanahorias
- zumo de limón
- aceite de oliva

Elaboración:
Pela las naranjas y el pomelo y córtalo todo en gajos. Haz una juliana muy fina con la zanahoria.
Coloca las hojas de endibia cubriendo una fuente o plato de servir, pon los gajos de naranja y pomelo en el centro, alternándolos, y exprime la pulpa sobrante encima. Aliña con zumo de limón y un chorro de aceite. Por último, añade la juliana de zanahoria y sirve.

Trucos y consejos

❧ Para que una naranja o limón proporcione más zumo, **es conveniente meterlos durante unos segundos en el microondas a una temperatura media o bajo el grifo del agua caliente.**

❧ Para sacar también todo el jugo de una naranja o limón, **os aconsejo que antes de partirlo, lo rodéis encima de la mesa presionando con la mano.**

❧ Cualquier compota de fruta quedará, sin duda, mucho mejor, **si se le añade al almíbar una cáscara de naranja y otra de limón.**

❧ Para que la nevera nunca coja malos olores, se coloca medio **limón al que se le habrán clavado antes unos clavos de especia.**

❧ Cuando utilicemos naranjas o limones, es mejor no tirar la **piel. Procurar mondar la parte de color, dejando lo blanco y conservar en una caja de hojalata las peladuras. Secas y conservadas las tendremos siempre a mano para aromatizar los platos. Además se pueden usar simplemente como ambientador de armarios.**

La fresa y el fresón

La fresa y el fresón pertenecen a la familia de las rosáceas. La fresa es una fruta con alto contenido en vitamina C cuando está madura, por esta y por muchas otras razones es la más apreciada de las frutas blandas.

Al parecer, las fresas son originarias de los Alpes. Las primeras referencias que se tienen de esta deliciosa fruta nos llegan de los romanos, aunque ellos no las cultivaron.

Sin embargo, los fresones proceden de dos especies americanas que se mezclaron a su llegada a Europa.

La mejor manera de consumir la fresa y el fresón es en fresco, como postre. Aunque aderezadas con zumo de naranja, nata, con leche y azúcar o con un poquito de cava, resultan también irresistibles.

aromática. Hoy día este tipo de fresas se ha convertido en un auténtico artículo de lujo, ya que necesita unas condiciones de cultivo muy determinadas y laboriosas.

Finalmente podemos optar por el fresón, que es tres o cuatro veces mayor que la fresa de cultivo, con forma de corazón y un color rojo vivo cuando está maduro. Es mucho más asequible para el consumidor, entre otras cosas porque es mucho más fácil que llegue en perfectas condiciones a nuestros mercados.

En la compra

En el mercado

encontramos tres variedades de fresas fundamentalmente. Por un lado, la exquisita fresa de bosque, que nace entre la maleza en las laderas montañosas y, en general, allí donde crezcan pinos o hayas. Esta fresa es de un tamaño diminuto, pero su sabor y aroma son sobresalientes.
Por otro lado tenemos la fresa cultivada, mayor que la silvestre, pero menos

En la cocina

Hay dos reglas

de oro a la hora de manejar tanto fresas como fresones. Por un lado, no es conveniente manosearlas y tampoco exponerlas al calor. Hay además que lavarlas rápidamente, en el último momento antes de servirlas, justo un poco antes de quitarles el rabo y sin dejarlas a remojo.

Para congelar las fresas, basta con lavarlas, secarlas bien, espolvorearlas con azúcar y ponerlas en un recipiente plano, sin que se toquen unas con otras. Una vez

congeladas se pueden superponer distintas capas. Su duración aproximada en el congelador es de 8 meses. Para descongelarlas, se vuelve a añadir azúcar y se descongelan dentro de la nevera, para que el cambio de temperatura no sea muy brusco, sino que se vayan amoldando lentamente. Consumirlas ligeramente heladas.

Trucos y consejos

Para hacer un riquísimo batido *de fresa cuando no podáis disfrutar* *de la fruta fresca, lo mejor es poner* *en un vaso un par de cucharadas* *de mermelada de fresa y llenarlo* *de leche. Se bate y ya está listo.*

Tanto las fresas como los *fresones y algunas hortalizas «rojas»,* *como zanahorias y tomates, son ricas* *en caroteno, por lo que resultan* *especialmente recomendables para* *favorecer el bronceado.*

Para reforzar el sabor de las *fresas y los fresones se le puede añadir* *un chorrito de limón o una pizca* *de pimienta molida.*

Pudin de fresas

Ingredientes (6 personas):
- 1/2 kg de fresas
- 3 cucharadas de azúcar
- 150 g de nata líquida
- 2 huevos enteros
- 1 yema de huevo
- 3 hojas o 5 g de gelatina neutra
- agua

Para decorar:
- unas fresas
- mermelada de fresa
- hojas de menta

Elaboración:
Haz un puré triturando las fresas ya limpias (también puedes pasarlo por un chino).
En un cuenco echa los huevos enteros, la yema y 3 cucharadas de azúcar, mezclándolo bien, al baño María. A continuación, añade el puré de fresas y la gelatina, previamente remojada en agua. Mézclalo todo bien, hasta conseguir una masa homogénea.
Monta la nata y añádesela al bol, removiéndolo bien con unas varillas.
Vierte la masa en un molde y deja que se enfríe en el frigorífico durante 6 horas aproximadamente.
Desmolda y decora el pudin con unas hojas de menta, mermelada y unas fresas partidas en cuartos.

Tres cosas hay en ella: color, perfume y sabor. *Y... el consejo del doctor.*

Los frutos secos

Los frutos secos han sido utilizados por el hombre como alimento básico de su dieta desde tiempos inmemoriales. La razón es bien sencilla: aportan mucha energía, además de vitaminas y elementos minerales. Son fáciles de conservar y ricos en grasas y fibra. Por todas estas razones se consideran el mejor de los reconstituyentes para que nuestro cuerpo se vuelva a poner en forma después de haber realizado algún esfuerzo.

Los frutos secos son ingredientes fundamentales de la dieta mediterránea, con mayor incidencia quizá en el caso de la almendra, ya que su árbol se extiende por toda la cuenca, siendo la isla de Mallorca la principal productora de almendras en nuestro país.

La producción de avellanas también tiene gran importancia en Cataluña, concretamente en Tarragona.

En el caso de las nueces, aunque su producción es escasa en España, resulta corriente verlas en los mercados procedentes de las regiones del norte, sobre todo del País Vasco, Burgos, Galicia, León y Asturias.

En la compra

Debemos asegurarnos del perfecto estado de los frutos secos con cáscara, siempre comprobando que sean pesados y al agitarlos que no hagan ruido.

Si no tienen cáscara, debemos rechazar las almendras blandas, así como las nueces y las castañas arrugadas. Tampoco son aconsejables las nueces endurecidas y con aspecto grasiento.

Por regla general, los frutos secos deben ser siempre crujientes, la única excepción es la de los piñones, que son blanditos.

Hay que tener cuidado con las almendras y los frutos secos en general, ya que pueden desarrollar unas toxinas producidas por un tipo de moho contaminante de los alimentos. Lógicamente, este moho se desarrolla cuando el producto seco se almacena en ambientes excesivamente húmedos.

Los frutos secos tienen una larga duración, pero, cuando están húmedos, es mejor que los tiremos a la basura. La mayor parte de estos frutos los encontramos a la venta debidamente envasados, al vacío o en recipientes herméticos, en los cuales se señala la fecha de caducidad o de recomendación de su consumo que debemos respetar, no sea que digan (como algunas estadísticas señalan) que somos los hispánicos no sólo poco lectores de periódicos sino también que leemos escasamente las recomendaciones y características que aparecen en los productos comestibles envasados.

En la cocina

os frutos

secos enteros, molidos, tostados o caramelizados son un ingrediente fundamental en la elaboración de postres. Aromatizan cremas, helados, rellenan frutas, hojuelas y tartas, y sirven también de elementos decorativos de estos mismos postres.

Estos frutos secos rallados o triturados desprenden aceites muy aromáticos; por ejemplo, las almendras molidas y mezcladas con azúcar forman una pasta que resulta estupenda para elaborar las típicas sopas de almendras invernales.

También las almendras molidas se utilizan en lugar de la harina en masas de pastelería, sobre todo en bizcochos.

Las castañas asadas o cocidas con anises nos reconfortan en invierno. La receta más elegante de cuantas se conocen en la repostería con las castañas es este fruto seco confitado. En forma de purés son muy resultonas acompañando la caza.

Las nueces, por su parte, le van de maravilla a la miel y al queso, sobre todo a un queso puro de oveja.

Hay también cremas navideñas, muy típicas en el País Vasco, elaboradas con estas nueces. Y se me olvidaba lo más importante, el empleo de la almendra y la avellana en la elaboración del dulce típico de la Navidad, el turrón.

Crujientes, tostados, molidos o enteros, salados o dulces, nos dan sus aceites y energía al cuerpo.

Bizcocho de frutos secos y café

Ingredientes (6 personas):

- 150 g de harina
- 125 g de mantequilla
- 75 g de nueces
- 75 g de dátiles
- 125 g de azúcar
- 4 huevos
- 1 cucharadita de levadura
- 1 sobre de café soluble
- nata montada

Elaboración:

En primer lugar, trabaja la mantequilla derretida con el azúcar hasta punto de pomada. Entonces, añade el café, los huevos y la levadura con la harina. Mezcla todo, batiéndolo hasta que la masa adquiera un aspecto uniforme. Incorpora las nueces y los dátiles en trozos.

Vierte la mezcla en un molde forrado y mételo al horno, previamente caliente, a 200°C durante 10 minutos. Después, baja la temperatura a 150°C por espacio de media hora más.

Una vez cocido el bizcocho, retíralo del horno y desmolda sobre una fuente. Deja que se enfríe y sírvelo adornado con nata montada por encima. •

Trucos y consejos

🌰 *Debemos conservar los frutos secos tapados, en bolsas impermeables o mejor aún en envases de cierre hermético, en un lugar seco pero fresco.*

🌰 *La almendra se utiliza también en platos salados, especialmente en la cocina andaluza, como legado de los árabes.*

🌰 *Para que las castañas se pelen fácilmente, debemos meterlas durante unas horas en el congelador. Después las escaldaremos en agua hirviendo unos minutos y rápidamente las enfriaremos bajo el chorro de agua fría. Gracias a estos cambios de temperatura se pelarán con facilidad.*

El kiwi

El kiwi es originario del Extremo Oriente, más concretamente de China . De hecho, en los países asiáticos se le conoce con el nombre de «grosella china» y «ratón vegetal». Pero el nombre kiwi parece que proviene de Nueva Zelanda, donde ha crecido desde tiempos inmemoriales. Sólo en el siglo XIX fue traída esta especie hasta Europa, pero como planta ornamental y no como fruta comestible.

La plantación del kiwi no resulta ni fácil ni agradecida, ya que necesita, por un lado, un hábitat cálido, con suelos muy permeables, donde nunca surjan encharcamientos. Además, hasta el tercer año después de su plantación no comienza a dar sus frutos y es en el octavo año cuando alcanza sus máximas cuotas.

Sin embargo, el esfuerzo sí que aporta excelentes resultados, ya que el kiwi se convierte en una verdadera fuente de vitaminas. Un solo kiwi cubre todas las necesidades de vitamina C de un adulto; además, también es rico en minerales y fibra.

Hasta hace pocos años, el kiwi era casi un desconocido en nuestros mercados, sin embargo hoy día se ha disparado su consumo y también el cultivo en tierras españolas, sobre todo en Galicia, Cataluña, Baleares y, en general, en las regiones más templadas y húmedas.

En la compra

Esta fruta, al tener el proceso de maduración en invierno, sólo aparece en el mercado a partir de octubre y se mantiene en perfectas condiciones hasta mayo.

En la cocina

Por su sabor ligeramente ácido, en los últimos tiempos se ha convertido en compañero inseparable de otros ingredientes clásicos de una ensalada, como, por ejemplo, de la lechuga.

Se ha vuelto también imprescindible en la confección de muchos postres y ya hay una incipiente industria de mermeladas y confituras realizadas con esta fruta.

Para disfrutar realmente del kiwi debe comerse en su momento justo de madurez. Hay un truco muy sencillo para averiguar si se encuentra en su momento adecuado y se trata de pulsar suavemente su piel, si el dedo se hunde ligeramente, será el signo

óptimo de su estado. Si, por el contrario, la piel adquiere un tono rugoso, es señal de que está un poco pasado y su carne ya no es lo sabrosa que cabría esperar.

Trucos y consejos

🌿 *Para acelerar el proceso de* **maduración del kiwi hay que meterlo con una manzana o una pera en una bolsa de plástico. El gas que desprende la manzana logrará rápidamente su maduración.**

🌿 *Es una fruta que se conserva* **de maravilla tanto a temperatura ambiente como refrigerada. En el frigorífico puede aguantar un mes tan ricamente.**

🌿 *A temperatura ambiente puede* **llegar a durar perfectamente unos 15 días. Congelado nos aguantará hasta 6 meses.**

Tarta de kiwi

Ingredientes (4-6 personas):
- *4 ó 5 kiwis*
- *200 g de crema pastelera*
- *200 g de pasta quebrada*
- *100 g de almendra tostada y fileteada*
- *unas cucharada de miel*

Elaboración:
Hornea una tartaleta de pasta quebrada, bien estirada, hasta que esté crujiente. Después, colócala en una bandeja sobre una blonda.
Extiende sobre ella la crema pastelera y coloca encima los kiwis pelados y cortados en rodajas. Espolvorea con las almendras fileteadas y, por último, baña la tarta con la miel templada. •

A ver si lo aciertas: pájaro pardo, pelusa de ratón, todo semillas, verde corazón y mucha, mucha vitamina.

La manzana

Hablar de manzanas es casi hablar del propio inicio de la agricultura, ya que hace más de 3.000 años que se cultivan.

En principio se cree que provienen de las montañas del Cáucaso, habiendo sido transportadas más tarde por los españoles a toda Hispanoamérica. En Canadá la introdujeron los franceses, mientras que fueron los ingleses y los holandeses los que se encargaron de hacerlo en Estados Unidos.

El manzano forma parte de la familia de las rosáceas. Para cultivarlas se emplean diferentes procedimientos, desde la siembra de semillas al acodo (plantación de ramas para que enraícen) o al injerto (enraizar una rama de manzano en un pie de otra variedad u otra especie); este último sistema es el más utilizado.

La manzana es uno de los frutos más ricos en hidratos y azúcares. En realidad, es una de las frutas más completas, tanto por sus valores alimentarios como por la variedad de formas, colores y sabores que puede llegar a adoptar.

Por si esto fuera poco, la manzana también tiene abundante fibra, potasio, fósforo, calcio, hierro, magnesio y vitaminas.

sabor es la que va desde la festividad de todos los santos (1 de noviembre) hasta Navidad. Las variedades de manzanas más utilizadas comercialmente son: la manzana golden, que es firme y crujiente cuando la piel es verdosa y menos crujiente y más dulce cuando la piel es amarilla; la reineta, de sabor un tanto ácido; la llamada manzana delicia; la verde doncella, de una piel muy rica en vitaminas, y, finalmente, una manzana con nombre muy inglés, starking, que es un fruto de mesa, con una piel crujiente y jaspeada de color rojo y carne muy blanca y dulce.

En la compra

A **la hora de comprar** manzanas es importante que estén maduras; para ello no hay que fijarse más que en su fragancia, que debe ser agradable, además de tener la piel firme y sin magulladuras.

Es una fruta que podemos encontrar en el mercado todo el año, aunque la época en que está más reluciente y pletórica de

En la cocina

E **s importante saber** qué función le vamos a dar en la cocina a las manzanas para elegir una variedad u otra.

Las manzanas de mesa son las que normalmente comemos crudas, sobre todo por el equilibrio que poseen entre lo dulce y lo ácido.

Para hacer compotas, jaleas, asar o cocer, son más aconsejables las manzanas ácidas. Sobre todo si van a ser utilizadas en el horno, tendrán que ser grandes y con la piel algo gruesa.

Las empleadas para la elaboración de sidra requieren un cierto amargor, aunque también es verdad que la mayoría de los sidreros las suelen mezclar en el tolar con alguna variedad dulce.

Con la manzana se han elaborado infinidad de postres y platos insustituibles ya en cualquier recetario, desde la clásica tarta de manzana, pasando por los famosos «pies» ingleses y americanos, la tarta centroeuropea «applestrudel» y la mítica «Tatín», una tarta que cobró fama gracias a las hermanas Tatín y que se hace al revés, es decir, se le da la vuelta al final, como a los flanes.

Trucos y consejos

*Si queremos que la piel de **la manzana quede lisa al meterla al horno, sólo hay que untarla con mantequilla o aceite antes de hornear.***

*Si queréis que la manzana no **pierda el color, al pelarla debéis rociarla con un poco de zumo de limón.***

*Para congelar las manzanas hay **dos formas distintas de hacerlo. Bien en un almíbar ligero, bien hechas puré después de haberlas cocido. En crudo no es aconsejable congelarlas.***

Manzanas horneadas

Ingredientes (4 personas):
- 4 manzanas reineta
- 4 cucharadas de avellanas picadas
- 4 cucharadas de azúcar
- 2 cucharadas de yogur natural
- 2 cucharadas de pasas de Corinto
- el zumo de 1 naranja
- 8 frambuesas
- nata a medio montar
- un poco de agua

Elaboración:
Limpia las manzanas, vacíales el corazón haciendo un agujero grande, y colócalas en una fuente. Para que al hornear no revienten con el calor, hazles un corte longitudinal.

Aparte, mezcla las avellanas, el yogur, el azúcar y las pasas. Rellena con esta mezcla las manzanas, poniendo también 2 frambuesas en cada una; por último rocía con el zumo y vierte en el fondo de la fuente un chorrito de agua para que no se sequen. Métalas al horno, previamente caliente, durante 20 ó 30 minutos a 175°C aproximadamente. Una vez listas, colócalas en una fuente y adorna con la nata en el fondo y las frambuesas que hayan sobrado. También puedes adornarlo con grosellas. •

Una manzana al día, del médico te libraría.

El melocotón

Los melocotones tienen, según la variedad, pieles distintas que van del rosa pálido al amarillo anaranjado. Lo mismo sucede en su interior. Hay variedades blancas y dulces, otras rojas de sabor menos dulce, pero siempre tienen algo en común y es su forma redondeada y sobre todo esa piel aterciopelada con un suave vello al tacto.

Tener la piel de melocotón es, sin duda, un piropo, y además el melocotón por dentro es una de las cosas más ricas, jugosas y refrescantes.

Hablar de sus valores dietéticos no es nada sencillo, entre otras cosas porque hay miles de variedades en el mundo. Pero todas ellas se puede decir que congregan abundantes vitaminas, alta cantidad de azúcar y muchísima agua. Es un buen alimento.

Se han contado muchas historias en torno suyo, pero la más fabulosa es la que nos habla de cómo llegó a Persia desde China, gracias a unos prisioneros chinos capturados por el rey Darío. De aquí pasó a Grecia y se extendió por Europa más tarde. Gracias a Colón llegó a América.

Sin embargo, su nombre en toda Sudamérica es muy distinto, ya que se le conoce como durazno.

Tal vez, su mayor implantación se debe a que es uno de los frutos envasados que mejor resulta, o por lo menos ateniéndonos a los datos estadísticos, es la conserva de fruta más consumida del mundo y se puede decir que la más típica.

Es un recurso estupendo echar mano de una buena lata o frasco de melocotones cuando llega alguien de improviso a casa y no hay nada de postre. Un poquito de nata o de crema y ya tenemos un plato muy digno.

Por supuesto, que como más ricos son es comidos a cuchillo y observar al cortar cómo se forman auténticas fuentes de un jugo delicioso.

Es otra de las frutas que también casa estupendamente con el vino y en particular con el tinto. Cocerlos en él, con canela y azúcar, constituye un auténtico manjar.

En la cocina

N i siquiera la condena que hicieran los médicos de Mahoma contra el melocotón ha restado fuerza a su presencia en nuestras mesas y los menús de todo el planeta.

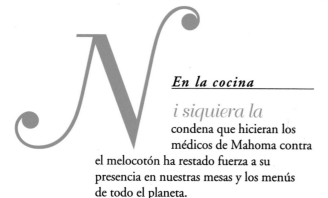

En la compra

cara a la compra estacional, la división más importante se puede hacer en función de su mayor o menor precocidad. Unos son muy tempraneros y comienzan a llegar al mercado al terminar la primavera; proceden generalmente de Sevilla, Valencia o Huelva.

Los intermedios aparecen ya por el mes de julio y no nos dejan hasta el mes de agosto. Estas variedades plenamente veraniegas proceden, además de alguna de las provincias señaladas anteriormente, de Extremadura y Tarragona fundamentalmente.

Y, por último, los más tardones, pero fabulosos, son los procedentes de Aragón y de Lérida, que se mantienen en el mercado hasta bien pasado el mes de octubre. Si se cosechan bien y se mantienen en el frigorífico, podemos conseguirlos hasta incluso en el mes de diciembre.

Trucos y consejos

Al comprar melocotones frescos **debemos fijarnos en que estén bien maduros, que tengan piel fina y sean aromáticos. Además deben tener buen color y no presentar manchas pardas.**

Los orejones del melocotón, **es decir secos, son muy energéticos y resultan estupendos para cocer en una compota de frutas, así como para relleno o acompañamiento de platos salados.**

Una receta rápida para hacer **una mermelada bien rica es la de triturar el melocotón en almíbar, batirlo bien y colarlo hasta que resulte una salsa fina.**

Copa de melocotón

Ingredientes (4 personas):
- 1 bote de melocotón en almíbar
- 250 g de nata montada
- 4 bolas de helado de fresa
- un puñado de almendras tostadas fileteadas
- canela en polvo
- guindas
- 4 cucharadas de azúcar
- 4 hojas de menta

Elaboración:
Reparte las bolas de helado en cuatro copas. Pon encima unas cucharadas de nata montada, previamente mezclada con el azúcar. A continuación, corta el melocotón en gajos y colócalos montados sobre el borde de la copa. Adorna con la almendra tostada fileteada, unas guindas, un poco de canela en polvo y una hoja de menta. •

¿Es verdad que hay niños urbanos que creen que hay árboles de melocotón en almíbar?

La pera

Así como el salmón define a todo un color, esta fruta, la pera, caracteriza a una forma, es decir, la conocida forma de pera. Lo que pasa, es que no todas las peras tienen esa forma, hay también muchas otras redondas. Lo mismo sucede con su color, que generalmente es verde, pero hay otros tonos que van desde el pardo rosa al amarillo. Eso sí, la pulpa casi siempre es blanca o color crema. Nos referimos naturalmente a alguna de las miles de variedades que se cultivan en el mundo de esta planta. Su origen también es incierto; posiblemente procede del oeste de Europa. Existen indicios de su consumo 3.000 años antes de nuestra era.

La carne de esta fruta reúne muchísimas virtudes, dulzor, cremosidad y riqueza en jugos, en mayor o menor medida según el tipo de pera. Sus valores alimenticios son muy destacados, mucha vitamina C, un poco menos de A y B y notables cantidades tanto en sales minerales como en azúcares.

Hay, como se ha dicho, múltiples variedades. Entre las invernales, las más importantes son la conocida como pasa crasana, la conferencia y decana de comicio. Por San Juan, resultan deliciosas las peritas pequeñas y crujientes que reciben el nombre del santo. Entre la pera temprana, la variedad limonera es la más atrayente, pero no son peores la leonardeta y la tendral de Valencia. Y casi nos dejábamos olvidadas, unas de las más famosas, como son la blanca de Aranjuez más, conocida como blanquilla o pera de agua, la de Roma y, por supuesto, la Williams.

U En la compra

Una cosa estupenda en esta fruta es que hay distintas variedades en todas las estaciones del año. Se ha dicho siempre de ella que es la camarada inseparable de la manzana. Es resistente siempre que se la mantenga en un sitio fresco y siempre, claro está, que se la haya recogido bien y oportunamente.

E En la cocina

En general, la pera se destina al consumo en fresco, favorecido precisamente por la presencia permanente durante todo el año en los mercados. Pero también interviene en mermeladas y gelatinas. Es casi una fruta obligada de las compotas, con su amiga la manzana, con la que comparte su participación en tartas y pasteles.

Hay, de todas formas, un postre ya clásico en el que esta fruta se muestra en su

mejor disposición. Se trata de las peras al vino tinto o también con vino dulce de Málaga o de Jerez.

Entre los platos salados, está el tradicional pato con peras, o su puré, que combina y guarnece de maravilla las piezas de caza menor.

Trucos y consejos

🌼 *Si quieres que las peras verdes* **maduren más rápido colócalas en una bolsa de papel marrón agujereado junto con una manzana muy madura y consérvalos en un lugar fresco y oscuro.**

🌼 *Para saber si una pera está bien* **madura nos fijaremos en su tallo, que debe ser flexible, y en el otro extremo, donde estuvo la flor, no debe soltar líquido.**

🌼 *Si alguna vez nos hemos pasado* **comprando peras y tenemos miedo de que se estropeen, tenemos que poner un poco de cera sobre el final del rabito. Así alargaremos su vida y evitaremos que se resequen.**

Peras dulces con nata

Ingredientes (6-8 personas):

- *8 peras*
- *150 g de azúcar*
- *1 vaso de agua*
- *1 copa de brandy*
- *zumo de 1 limón*
- *1 círculo de bizcocho*
- *2 naranjas en zumo*
- *1/2 l de nata montada con azúcar al gusto*

Elaboración:

Pela las peras y cuécelas partidas por la mitad y sin corazón junto con el vaso de agua, el brandy, el azúcar y el zumo de limón. Deja que hierva a fuego muy suave hasta que el jugo espese y llegue casi a caramelo.

Pon en una fuente el círculo de bizcocho y báñalo con el zumo de naranja. Extiende la nata montada encima del bizcocho y cúbrelo con las peras cocidas. Por último, vierte el caramelo templado por encima y sírvelo. Si lo deseas, también puedes adornarlo con uvas o guindas. •

🌼

De las frutas, la pera, y de las pasiones, la primera.

La piña

La piña proviene de Sudamérica. Allí fue donde la encontraron los colonizadores españoles y portugueses.

La piña es el fruto de la planta conocida como ananás (por cierto, los portugueses continúan manteniendo este nombre originario que para los indígenas significa «fruta excelente»), que pertenece a la familia de las bromeliáceas. Esta planta suele alcanzar una altura de 1 metro más o menos, y tiene unas hojas largas, puntiagudas y ásperas, en cuyo centro nace una flor que más tarde se convierte en la gustosa y dulce piña.

Al igual que les ocurre a los cítricos, la piña sólo madura en buenas condiciones mientras se encuentre en su planta. Por eso, es muy importante que llegue al consumidor en condiciones de consumo inmediato, ya que en la fase final de madurez puede llegar a duplicar su contenido en azúcar.

La piña contiene también una sustancia muy útil para el estómago, que tiene la propiedad de romper las proteínas y que ayuda enormemente a hacer la digestión. Contiene gran cantidad de vitamina C y es rica en fibra y azúcar.

Si la piña está casi a punto de terminar de madurar, se puede comprar ya que la piña seguirá madurando después de cosechada, y el poquito que le falta para alcanzar su momento óptimo, lo hará en casa. Sin embargo, una piña que no esté madura, que no tenga aroma y que sea de color desigual, jamás llegará a la completa madurez si ha sido ya cosechada.

Otra forma estupenda de consumir la piña es enlatada, ya que apenas pierde su aroma y su rico sabor. Hoy día la mayor parte de la producción mundial de piña se emplea para la industria de enlatado.

En la compra

La piña no escapa a la regla de oro de todas las frutas: cuanto más fresca, mejor. Fresca, madura y fragante. Si el extremo del tallo está mohoso o manchado, las hojas marchitas o la fruta golpeada, no es una buena piña para comprar.

En la cocina

Se consume masivamente la piña en almíbar, pero quizá una de las formas más genuinas de comerla es tal cual. Casa bien con algunos sabores salados y una de las cocinas que más utiliza esta fruta es la china, internacionalmente apreciada. El cerdo o el pato, por ejemplo, de fuerte sabor, congenian perfectamente con la piña.

Trucos y consejos

🌿 *Es conveniente recordar que las piñas pequeñas suelen tener un sabor más delicado que las grandes.*

🌿 *Ya hemos dicho antes que la piña contiene una enzima especial que resulta muy adecuada para hacer la digestión. Pero, sobre todo, lo es cuando hayamos consumido platos de carne.*

Piña rellena

Ingredientes (6-8 personas):

- 1 piña
- 1 copita de brandy
- 150 g de turrón blando
- 3 claras de huevo
- azúcar
- 8 bizcochos troceados

Elaboración:

Monta las claras a punto de nieve y, cuando estén casi listas, añade el azúcar al gusto, mezclando muy suavemente para que no se bajen.

Abre la piña por la mitad a lo largo y retira la parte central. Vacíala, dejando la cáscara lo más entera posible, y trocea la pulpa.

Coloca los bizcochos troceados en la piña ya vacía y mójalos con el brandy. Extiende por encima el turrón en laminitas y, por último, añade los trozos de piña. Tapa con las claras montadas y gratina durante un minuto aproximadamente. •

¿Reina de las frutas? Sí, tiene manto real y una corona en su cabeza.

El plátano

Al igual que la manzana, su cultivo es antiquísimo, y se cree que procede de la zona tropical de Asia. Además, según nos dejó escrito Plinio, fue Alejandro Magno el que lo encontró en la India.

El plátano es, sin duda, no sólo una de las frutas más sabrosas y nutritivas, sino también una de las más sanas, ya que es energética y rica en fibras. También es rico en vitamina B₆ y minerales, como el potasio y el magnesio.

En general, el plátano se utiliza fundamentalmente en la elaboración de postres, pero por fin ahora empezamos a entender que se le puede dar muchas otras aplicaciones. El plátano es ideal para utilizarlo como protagonista de una gran cantidad de platos salados, por ejemplo, en sopas, purés, como acompañamiento de carnes, huevos, arroces.

Ni que decir tiene que, en nuestro país, el principal productor de plátanos es el archipiélago canario, que surte a toda la Península de esta deliciosa fruta.

En la compra

Sin duda el mejor plátano que podemos encontrar en el mercado es el canario, en sus variedades «gran enana», «pequeña enana» y Johnson.

La platanera que crece en Canarias produce en general un plátano pequeño, amarillo y pintón que se distingue especialmente por su aroma y porque es ideal para utilizarla tanto en estado natural como en numerosos platos dulces o salados.

El plátano de Canarias se diferencia del procedente de América, principalmente, porque el proceso de formación del primero es de 5 a 8 meses, mientras que el segundo sólo está en planta 3 meses, ya que al tener que cruzar el Atlántico tiene que cortarse muy verde. Esto hace que el plátano canario tenga mayor contenido en sales minerales, vitaminas y azúcares. Por último, las condiciones del suelo volcánico canario, rico en fósforo, y el tipo de agua de riego procedente del subsuelo, hacen que cualquier variedad de plátanos de Canarias sea más sabrosa.

Es verdad que el plátano de Canarias es menos espectacular en cuanto a presencia que el producido en el trópico, pero no lo dudéis, alcanzan una excelente calidad y son más dulces y sabrosos que los tropicales.

El plátano, ya lo

hemos dicho anteriormente, se puede tomar de muchas maneras. Indispensable, sin duda, en el arroz a la cubana, es decir, frito con huevos y tomate. Pero no es peor idea acompañarlo de cereales, en macedonias de frutas, fritos con chocolate, en pasteles, tartas y, por supuesto, en el goloso «banana split». Puede ser también el aliado perfecto de carnes y pescados.

El plátano no hay que comerlo nunca ni demasiado verde (es terriblemente indigesto), ni tampoco cuando se encuentre pasado. Hay que consumirlo cuando esté maduro, cuando las manchas pardas cubran su piel, momento en que sus azúcares no harán ningún daño a nuestro organismo.

Trucos y consejos

❧ *A la hora de comprar plátanos* **hay que hacerlo en pequeños racimos y no sueltos, ya que la piel de los plátanos sueltos puede estar desgarrada y dejar al descubierto la carne.**

❧ *Cuando vayamos a añadir* **plátanos a una ensalada o queramos decorar una tarta, lo mejor es rociarlos con un chorrito de limón, una vez pelados, para evitar que se oscurezcan.**

❧ *Los plátanos canarios, al tener* **mayor contenido (al estar más llenos), son más delicados y maduran antes en casa. Por ello, las manchitas marrones son una garantía de origen y calidad.**

Buñuelos de plátano

Ingredientes (4-6 personas):

- *4 ó 5 plátanos*
- *1 copa de brandy*
- *azúcar glas*
- *aceite*

Para la masa de buñuelos:

- *125 g de harina*
- *1 yema de huevo*
- *1 clara de huevo a punto de nieve*
- *1 cucharada de brandy*
- *200 ml de leche tibia*
- *1 cucharada de aceite (de 0,4°)*

Elaboración:

Macera los plátanos, pelados y troceados, en el brandy. Mientras tanto prepara la masa de los buñuelos mezclando bien todos sus ingredientes, añadiendo la clara montada al final y con mucho cuidado para que no se baje. Pasa los trozos de plátano por la masa y fríe en abundante aceite caliente hasta que estén bien dorados. Por último, sirve los buñuelos escurridos y espolvoreados con azúcar glas. •

Hagas o no hagas deporte..., no te olvides de platanear todos los días.

Frutas

La sandía
y el melón

Tanto la sandía como el melón tienen orígenes milenarios
y, para hacernos una idea, en el Éxodo ya hay referencias
al cultivo de la sandía en el valle del Nilo.
La carne del melón es
blanca o anaranjada,
jugosa y dulce, y se come
casi siempre cruda al
principio o al final de
las comidas, aunque
también se usa para
hacer conservas encurtidas.
Existen muchas variedaes y muy buenas en nuestro país, cada
una con sus propias características. Son especialmente famosos
los melones cultivados en Villaconejos (Madrid).
El melón puede llegar a contener un 93% de agua, lo que
significa que tiene un bajo valor calórico ya
que, aunque pensemos lo contrario, no tiene
más que un 5% de azúcares. Contiene
también vitamina C, minerales y,
en los amarillos, caroteno.
Por su parte, la sandía
es prácticamente agua, su
contenido en azúcares no
llega ni a la mitad del que posee
el melón. Tomando este detalle en cuenta
y fijándonos en su atractiva apariencia, no nos equivocamos
al afirmar que la sandía es la fruta más refrescante
que uno se puede llegar a encontrar.

En la compra

L a sandía
podemos
encontrarla en el
mercado desde bien entrada la primavera.

Por otro lado, los primeros melones en
aparecer en el mercado, a principios
de abril, son los procedentes de Canarias.
Hay que aclarar que los melones que se
comercializan son de diferentes variedades
y, por eso, varían mucho de aspecto,
sabor y color.

Los que anteriormente hemos
nombrado, los canarios, son pequeños, de
corteza verde y carne también verde clara y
muy dulce.

Un poco más tarde suele llegar a las
fruterías la variedad Cantalupo, una de las
más apreciadas por su gran perfume, piel
amarillenta con líneas verdes oscuras
y la pulpa anaranjada.
Tiene un agradabilísimo perfume.

En verano aparecen las variedades
clásicas, desde el llamado melón escrito
de corteza reticulada, al pinsapo de corteza
verde y el amielado amarillo. Por último,
encontraremos las variedades tardías
de corteza gruesa.

De todas formas, sea cual sea la variedad
elegida, siempre deben ser melones firmes y
llenos. La cicatriz del tallo debe ser nítida, ya
que un corte áspero indica que le melón fue
recogido sin estar maduro.

Además, si se presiona suavemente
en el extremo de la flor con el dedo debe

sentirse levemente elástico al tacto. Es mejor rechazar uno que esté demasiado duro, y eso se nota cuando al sacudirlo oigamos un ruido como de chapoteo.

En la cocina

Tanto los melones como las sandías conviene almacenarlos en un lugar fresco y ventilado, mejor un poco tibio si se sospecha que les falta madurez.

En el caso del melón, y si es de la variedad Cantapulo, se conservará 5 ó 6 días en un lugar siempre aireado.

El melón se conserva, por lo general, muy bien congelado, sólo hay que pelarlo y cortarlo en rajas, rociarlo con limón y azúcar y envolverlo en papel de aluminio.

La culinaria del melón es muy amplia. Antiguamente aconsejaban los médicos comerlo como aperitivo. De ahí que surgieran entrantes que ya se han hecho famosos, como el melón con jamón. Son deliciosas también las ensaladas de esta fruta, bien como postre bien como entrada, para las que es conveniente presentarlo en forma de bolitas. Una de las fórmulas más consagradas de sopas dulces es la que se armoniza el melón con el oporto.

Un balón que encierra un río tan dulce como la miel.

Melón con canela

Ingredientes:
- *1 melón*
- *10 guindas en licor*
- *menta*
- *canela en polvo*
- *1/2 vaso de Grand Marnier*

Elaboración:
Parte el melón por la mitad y haz bolitas con la carne de dentro. Rellena las mitades de cáscara vacía con las bolas y las guindas y baña con el licor. Por último, espolvorea con canela y decora con hojas de menta. •

Trucos y consejos

El melón debe consumirse fresco pero no helado, como **desgraciadamente nos lo ofrecen muchas veces. Para realzar su sabor se puede echar un chorrito de vino dulce o tipo oporto. Una pizca de pimienta también logrará este efecto.**

A la hora de la compra, todos los melones deben **parecer pesados para su tamaño, ni más ni menos.**

Un melón maduro debe emanar un agradable **y dulce aroma característico, sobre todo en los de la variedad Cantalupo.**

La uva

Hace más de 6.000 años que ya se cultiva la uva. Es tan antigua en el mundo como el hombre.

Respecto a su origen, hay diversidad de opiniones, pero el único consenso en todas las culturas es el origen divino de la bebida obtenida de la uva, el vino. De más de 5.000 variedades existentes, son sólo unas 50 las que han adquirido realmente prestigio.

Sus colores son tan variados como sus especies, y en ellos se encuentra desde el oro brillante hasta el negro más profundo, pasando por otras tonalidades moradas.

En su interior hay mil y un matices del gusto. Desde el dulce más meloso a punzantes ácidos.

Es un alimento muy completo, y a pesar de su bajo contenido en proteínas, tiene muchas calorías precisamente por su alta tasa de azúcar. Contiene sales minerales, glucosa y vitamina C.

ya que resultan un poco empalagosas. Así, otro dicho que viene a cuenta es aquel que dice que las uvas con miel saben a hiel.

Lo cierto es que la uva de mesa, sobre todo la moscatel, es una delicia de sabor y de una jugosidad increíble, que parece que guarda en sí misma todo el rico sol de nuestra tierra.

Tampoco podemos olvidar uno de los platos más importantes de la gastronomía mundial en el que intervienen estas golosas frutas, el foie-gras de pato o de oca a las uvas. Las uvas peladas y desprovistas de pepitas acompañan de maravilla a los platos elaborados con vísceras.

Por supuesto, también hay una forma de consumo de uvas que es totalmente universal, se trata de la uva pasa, tan necesaria en todo lo tocante a la repostería e incluso en la cocina de lo salado con particular acento en la culinaria mediterránea.

En la cocina

L as uvas de mesa se consumen preferentemente en fresco y sin más acompañamiento, aunque el refrán aconseja otras cosas, como por ejemplo las uvas con queso saben a beso. Sin embargo, otros refranes no recomiendan su casamiento con dulces,

En la compra

e entre sus variedades, no son muchas las apreciadas para el consumo directo. Dentro de las llamadas uvas de mesa, una de las más solicitadas es la moscatel. Hoy en día se pueden conseguir uvas durante todo el año, pero su temporada va desde el verano a principio de invierno, y se dispara su consumo un día muy entrañable, Nochevieja, con las inevitables doce uvas que acompañan a las campanadas.

A primeros de junio podemos encontrar unas uvas muy adelantadas, como la llamada Reina de las Viñas y la Cardinal.

Cuando compréis uvas, debéis fijaros en que las rosadas y negras no tengan zonas verdes y que las blancas tengan una tonalidad ambarina.
Los tallos deben verse frescos.

Trucos y consejos

Hay que evitar los racimos **de uvas que no conserven el polvillo blanco de la levadura, porque eso significa que han sido demasiado manoseadas.**

También hay que evitar aquellos **racimos que tengan uvas pequeñas y arrugadas, porque tendrán un sabor ácido desagradable.**

Podéis licuar uvas en casa, **resultando un mosto sumamente natural y sano.**

Tarta de uvas y plátanos

Ingredientes (6-8 personas):

- 250 g de pasta quebrada
- 200 g de crema pastelera
- 1 ó 2 plátanos
- mermelada de albaricoque
- 1 racimo hermoso de uvas
- 3 claras de huevo
- 150 g de azúcar
- almendras fileteadas
- guindas en licor (opcional)

Elaboración:

Estira la pasta quebrada, colócala en un molde y hornéala unos 10 minutos a 180°C. Sácala del horno, desmolda, y coloca sobre ella la crema pastelera, el plátano en rodajas y encima las uvas peladas hasta cubrirlo todo. Cubre con la mermelada y vuelve a hornear la tarta a 160°C unos 20 minutos. Mientras, prepara el merengue montando las claras muy firmes y añadiendo después el azúcar suavemente; decora con él la tarta una vez fuera del horno. Por último, gratínala un minuto y adorna con las guindas y las almendras fileteadas. •

La uva tiene dos sabores divinos: como uva y como vino.

Legumbres

LAS LEGUMINOSAS FORMAN UNA gran familia con más de 20.000 especies diferentes. Junto a los cereales han sido, sin duda, las primeras plantas cultivadas por el hombre. No son otra cosa que las semillas comestibles de ciertas especies de la familia de las leguminosas. Algunas se comen tanto en fresco como desecadas. Es el caso de todas esas verduras de crujientes vainas como las habas, los guisantes y las judías verdes. Otras se consumen fundamentalmente en seco, como es el caso de las alubias, los garbanzos y las lentejas.

Miles de años antes de nuestra era, los pueblos primitivos ya las consumían. Particularmente en las regiones bañadas por el Mediterráneo, entre sus hábitos alimenticios se encontraban estas legumbres, que más tarde configurarían uno de los rasgos de la llamada por los científicos dieta mediterránea, tan sana y tan natural.

Los árabes, desde luego, entre la multitud de aportaciones culturales, nos dejaron la potenciación y el consumo de estas leguminosas. Gracias también a su sistema de cultivo en barbecho, que alternaba en los huertos las legumbres con otros frutos y verduras.

Durante los siglos XVIII y XIX, según cuenta un conocido escrito titulado «Viaje por España», se dice que «el cocido es el plato que desde Cádiz a Irún se come todo los días». Y es que estos platos tradicionales a base de legumbres, según nos confirma la ciencia de la nutrición, contienen los ingredientes precisos para garantizar una alimentación completa. Y ya no son únicamente recetas de toda la vida. En los últimos tiempos se han incorporado a platos novedosos y originales: cremas, ensaladas, guarniciones complejas y diversas, y con casamientos antes insospechados, no sólo con el clásico cerdo sino con crustáceos y moluscos de todo tipo.

La alubia

Aunque existían algunas variedades autóctonas de la cuenca mediterránea, a Europa llegaron tras el descubrimiento del «Nuevo Mundo» y desde luego su aceptación no fue inmediata, utilizándose primero para la alimentación del ganado.

Ni que decir tiene que, con el tiempo, el uso dado a las alubias ha cambiado mucho y no es ningún secreto que junto con los huevos y la leche fueron durante el siglo pasado, y gran parte del actual, la fuente principal de proteínas en la dieta de nuestros abuelos. En muchos hogares se comía cocido al mediodía y a la noche, porque la carne era un lujo reservado para los días de fiesta.

Es más, no es ninguna mentira decir que las alubias han asumido el liderazgo entre las legumbres españolas, al menos en cuanto a número de variedades y superficie de cultivo.

En la cocina

Todas las variedades de alubias, de distintas coloraciones, dan lugar a innumerables cocidos diseminados por toda la piel de toro. Uno de los más conocidos es el de la fabada asturiana; más moderna que ésta es la fórmula, ya muy universalizada, de las fabes con almejas. El concurso de las judías blancas es inexcusable en el pote gallego. Son inolvidables también los cocidos de alubias rojas (que algunas veces son negras) de todo el País Vasco y, en particular, los elaborados con las alubias de Tolosa o de Gernika. Pero no acaba ahí la cosa, las *mongetes* con butifarra, un plato seco más de tenedor que de cuchara, o la populista olla podrida de Murcia. Además, con los sobrantes del mediodía se elaboran deliciosos purés a los que sólo falta añadir un refrito de ajos y unos picatostes crujientes.

En la compra

De entre todas las variedades (más de 300 diferentes) que podemos encontrar en nuestros mercados, vamos a atrevernos a nombrar algunas, a riesgo de dejarnos muchas cosas en el tintero. La variedad tolosana es la más negra de todas las alubias y su producción se concentra fundamentalmente en Guipúzcoa. En la zona de Barco de Ávila hay tres variedades de alubia negra: la negrita, muy oscura y muy pequeña; otra de color púrpura, que es la morada redonda, y, similar a la anterior, aunque con forma arriñonada, la morada larga.

Entre las variedades más claras o jaspeadas son excelentes el caparrón de Logroño, la palmeña y la canela de León.

Entre las alubias blancas tenemos

auténticas maravillas, como la blanca riñón, una alubia de grano blanco y grande. A partir de esta variedad existen dos de gran calidad: las judías de La Bañeza y las de Barco de Ávila. Entrando en este terreno, no hablar de las fabes asturianas sería un pecado. De mayor tamaño que la anteriormente citada, son pura seda al comerlas. Encontramos también variedades como los judiones de La Granja. Aunque también menos conocidas, no le va a la zaga la alubia blanca gallega de la zona de Carballo.

Trucos y consejos

🌿 **Antes de cocinar las alubias debemos ponerlas en remojo la víspera.**

🌿 **Tras el remojo y antes de cocinarlas, tirar el agua y enjuagar bien la legumbre (mejor al chorro de agua fría), resultarán así más digestivas.**

🌿 **Hay que retirar la espuma al principio de la cocción de las alubias, cuantas veces sea necesario.**

🌿 **Para evitar que se deshagan, hay que cocerlas con poca agua, a fuego lento y añadir durante la cocción agua fría para cortar el hervor. Lo que se dice «asustarlas».**

🌿 **Los gases molestos que producen las alubias son a causa de su piel. Es bueno, para evitarlo, echar unos cuantos cominos durante su cocción.**

Alubias negras con bolitas de carne

Ingredientes (4 personas):
- 300 g de alubias negras
- 300 g de carne picada
- un hueso de caña
- 1 cebolla
- 3 dientes de ajo
- 1 huevo
- 1 cucharada de harina
- 10 g de miga de pan remojada en leche
- perejil picado
- aceite
- agua
- sal y pimienta

Elaboración:
Pon a cocer las alubias negras (que habrás puesto a remojo la víspera) en agua fría con sal, un chorro de aceite, la cebolla entera y el hueso de caña, a fuego lento durante una hora u hora y cuarto.

Mezcla la carne picada con la miga remojada en leche, los ajos picados, un huevo, perejil, sal y pimienta y una cucharada de harina. Con esta masa prepara unas bolitas y cuécelas en agua hirviendo de 5 a 7 minutos.

De la cazuela de las alubias, y cuando ya estén hechas, saca el hueso de caña y la cebolla; pasa ésta por un pasapurés y añádesela de nuevo a las alubias. Remueve.

Sirve las alubias acompañadas con las bolitas de carne. ●

Ayer las comíamos por obligación y hoy por devoción.

El garbanzo

Esta leguminosa es originaria de la cuenca mediterránea y está presente en estado silvestre hace ya nada menos que 7.000 años. Con el tiempo el hombre empezó a cultivarlo, dando origen a las muchas variedades que hoy conocemos.

Al contrario de lo que sucedió con otros alimentos, los españoles lo llevamos a América, consiguiendo en México una gran aceptación. Pero no sólo en México, para nosotros el garbanzo es uno de los mejores recursos de los meses fríos, pues con una elaboración sencilla y unos ingredientes bastante baratos se consiguen unos platos sabrosos y nutritivos, ideales para esos días de invierno. Aunque tienen detractores que les acusan de ser balines incomestibles, no coincido con ellos, aunque tienen gracia las palabras de uno de sus principales adversarios, el genial gallego Julio Camba, que nos dejó escrito: «los garbanzos constituyen el truco de que durante veintitantos siglos se han valido los maridos españoles para entretener a las mujeres en casa», indicando así las dificultades de su cocción.

Los garbanzos más apreciados son los cultivados en Zafra y Almendralejo (Badajoz), Méntrida (Toledo), Navalcarnero (Madrid) y Fuentesaúco (Zamora).

abstinencia en carnes, sino habitual a lo largo del año dada la plena gustosidad de este plato. Pero naturalmente el garbanzo se asocia más a las carnes, en general, y sobre todo a los embutidos derivados del cerdo. Desde el mítico cocido madrileño a la pringá andaluza, pasando por los pucheros de Extremadura o del País Vasco, herederos todos ellos de una u otra forma de la gigantesca olla podrida, el ancestral «platonazo» en el que interviene todo lo imaginablemente comestible y entre ello, claro, nuestra particular legumbre. De todas formas, quien se lleva la palma en originalidad es el cocido maragato; su peculiaridad se debe a que en el ágape que interviene se hace al revés, es decir, se comienza por los postres, las mantecadas de Astorga y el arroz con leche, se sigue por las carnes y se termina por los garbanzos y la sopa.

También ocupa el garbanzo un lugar destacado en la cocina más actual, en forma de ensalada, o en guarniciones y cremas

En la cocina

Se trata del principal protagonista de uno de los platos más significativos de la cuaresma, el potaje de garbanzos, con espinacas y bacalao. Hoy ya no solamente propio de tales fechas de

En la compra

El garbanzo español de mayor calidad y el más apreciado tradicionalmente por los consumidores es el blanco lechoso. Este garbanzo es grueso y alargado, con forma irregular y de color blanco amarillento. La producción de esta variedad se concentra en Andalucía y Extremadura.

También podemos encontrar otras variedades apreciadas, como el garbanzo castellano, más pequeño y amarillento, la variedad de venoso andaluz, cultivado básicamente en Granada y con un sabor más fuerte y acentuado que las demás clases; el chamad, que es una variedad híbrida, y finalmente el garbanzo pedrosillano, el de menor tamaño y superficie más lisa, de grano redondo y con un pico pequeño y agudo; este último se cultiva en Andalucía, Castilla-La Mancha y Castilla y León.

Trucos y consejos

❧ **Los garbanzos deben conservarse en un lugar fresco, seco y no expuestos nunca a la luz.**

❧ **Antes de cocerlos, debemos ponerlos a remojo en agua toda la noche, de 12 a 14 horas. Después del remojo, y antes de cocinarlos, debemos tirar el agua y enjuagarlos bien poniéndolos bajo el grifo, así resultarán menos indigestos.**

❧ **Todas las legumbres se ponen a cocer en agua fría, excepto los garbanzos.**

❧ **Además, es muy importante que, una vez que empiece la cocción, no se añada agua fría o cualquier otro elemento de verdura o cárnico que haga bajar la temperatura, ya que en ese caso se encallarán o endurecerán.**

Garbanzos con tortas de pan

Ingredientes (4 personas):
- 400 g de garbanzos
- 40 g de miga de pan remojada en leche
- 2 patatas
- 1 cebolleta
- 1 zanahoria
- 2 dientes de ajo
- perejil picado
- un plato con harina
- aceite
- agua
- sal

Elaboración:
Deja a remojo la víspera los garbanzos.
Ponlos a cocer en agua caliente (la justa) junto con una cebolleta y una zanahoria durante 40 minutos. A continuación, añade las patatas peladas y troceadas y déjalo hacer otros 15 minutos, poniendo a punto de sal.
En un mortero, machaca los dientes de ajo con el perejil picado. Añade a este majado la miga de pan remojada y mezcla bien. Con esta masa de pan forma unas tortas, pásalas por el plato con harina y fríelas en una sartén con aceite bien caliente.
Por último, agrega las tortas a los garbanzos, espolvorea con perejil picado y sirve. ●

Un duro que se enternece en un buen cocidito.

La lenteja

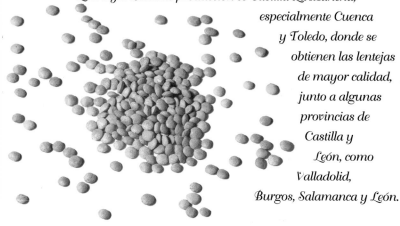

La lenteja, que se cultiva desde épocas muy remotas, es originaria de Asia Central, y fue durante mucho tiempo el alimento básico del pueblo llano. En la propia Biblia se cuenta cómo Esaú vendió a Jacob los derechos de primogenitura por un plato de lentejas.

Como todos los platos sencillos que han soportado el paso de los siglos, las lentejas son muy agradecidas. A un contundente cocido de lentejas, se le puede sacramentar con tocino, morcilla, costilla, jamón y toda clase de carnes, aportándole más alimento y suculencia. De hecho, no es ningún secreto que en la cocina popular española existen exquisitos platos con lentejas. Sigue siendo una posibilidad reconfortante en los fríos días de invierno, pero, además, con un poco de imaginación, con ellas podemos hacer platos y acompañamientos propios de los días más calurosos.

En nuestro país la lenteja ha sido la legumbre que mejor ha aguantado el empujón a la baja en la producción y consumo. La mayor zona de producción es Castilla-La Mancha, especialmente Cuenca y Toledo, donde se obtienen las lentejas de mayor calidad, junto a algunas provincias de Castilla y León, como Valladolid, Burgos, Salamanca y León.

En la cocina

La sencillez de los platos de cuchara en los que interviene la más diminuta de las legumbres, son en nuestro país, de todas formas, muy variopintos. Siempre dentro de un estilo no sólo popular sino rústico y campesino, señalar las entrañables lentejas pastoriles de Soria con la tremenda singularidad de que se hacen fritas, sin cocer en agua. Entre otros platos de tierra adentro que entonan el cuerpo en los rudos inviernos, nos encontramos con las lentejas de la variedad verdina del pueblo toledano de La Sagra, con pimentón, tomate y tocino. No menos potentes son las elaboradas al estilo del Alto Aragón, aunque si se quieren más livianas podemos deleitarnos con unas lentejas con arroz o más suaves aún un potaje de «viudas». No son «mancas» las lentejas en ensalada o incluso en pudines y vinagretas. Asimismo, resultan fantásticas en guarniciones de carnes, aves y caza.

En la compra

Son las lentejas un producto que se encuentra a lo largo de todo el año en el mercado. Las variedades más representativas que suelen estar a la venta son las siguientes:

• La rubia castellana: también llamada lentejón, que es de un tamaño grande y color verde claro con tonalidades

decoloradas que se van oscureciendo con el tiempo.

• La rubia de La Armuñana: también llamada gigante de Gomecello, es una derivación de la anterior, aunque tiene un color más verdoso y un tamaño mayor, que puede llegar a los 9 milímetros. Es de gran calidad.

• La pardina: se diferencia por su pequeño tamaño (4 ó 5 milímetros). Su color es pardo, tirando a marrón o rojizo según las zonas. Tiene un sabor agradable y es la que más espesa en la cocción.

• La verdina: recibe este nombre a causa de su color verde teñido con manchas negras, su tamaño es muy pequeño y también es de gran calidad.

Trucos y consejos

🌿 *Las lentejas tienen una ventaja sobre el resto de las legumbres: son más fáciles de cocer ya que no necesitan remojo previo.*

🌿 *Si queremos aligerarlas y que sean más digestivas, conviene utilizar hierbas aromáticas como el hinojo o el laurel.*

🌿 *También es importante, para este fin digestivo, eliminar el agua del primer hervor.*

🌿 *En caso de que se pongan a remojo, si son excesivamente duras, el agua debe estar fría.*

🌿 *Nunca debe olvidarse que la cocción debe ser lenta para evitar que se rompan las lentejas.*

Lentejas guisadas

Ingredientes (4 personas):

• 1 kg de lentejas
• 1 morcilla
• 1 cebolla picada
• 1 diente de ajo picado
• 1 cucharadita de pimentón dulce o picante
• aceite de oliva
• agua
• sal

Elaboración:

Pon a cocer las lentejas y sálalas. Estarán listas en unos 40 ó 45 minutos. Aparte, cuece la morcilla pinchada por varios sitios.

Sofríe la cebolla y el ajo en una sartén con aceite. Cuando se doren, y fuera del fuego, agrega el pimentón, rehoga y añádelo a las lentejas junto con la morcilla en rodajas. Déjalo reposar fuera del fuego unos minutos y sirve. •

¡Qué listo el que esparció lentejas entre las piedras preciosas!

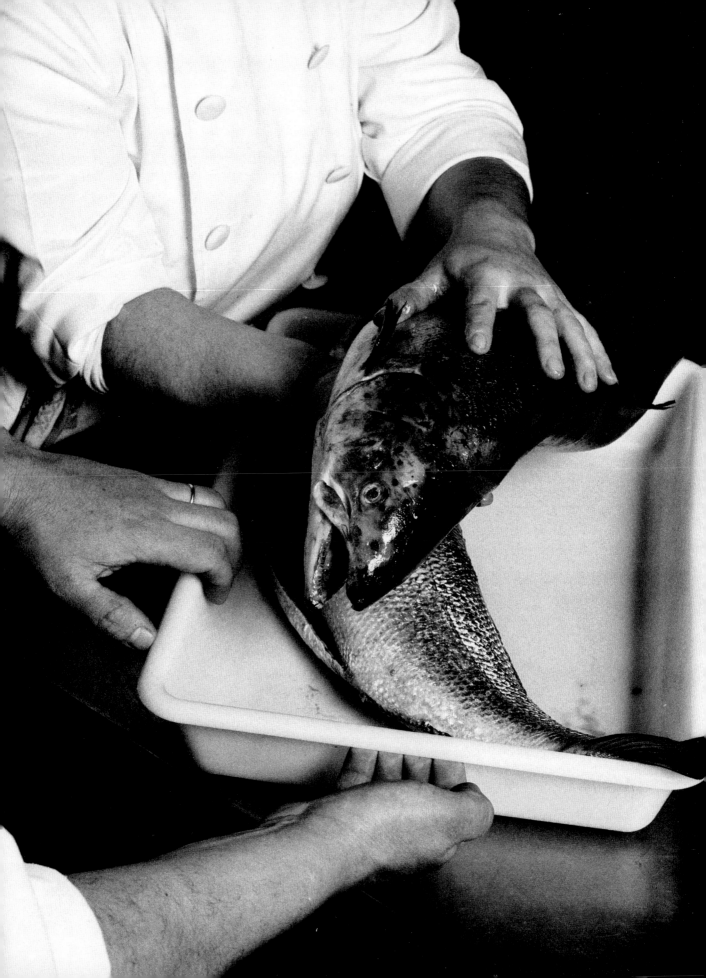

Pescados y mariscos

DESDE LOS TIEMPOS MÁS REMOTOS LA PESCA ha sido uno de los principales recursos en la alimentación del hombre. Su consumo en fresco sólo era posible, antiguamente, en las localidades costeras. Por eso, surgen como recurso de conservación diversos sistemas desarrollados por la inventiva y la necesidad. Los secados al sol son el método más primitivo. En los lugares de bosques y de poca insolación el sistema del ahumado fue preponderante.

También el sistema de salazón ha sido otra de las soluciones que dio en su día el hombre para evitar que el pescado se pasase. Gracias a estos métodos pudo el hombre durante siglos abastecerse de las proteínas, sales minerales y vitaminas contenidas en los pescados.

Debido al progreso de la tecnología del frío y del transporte rápido, este perecedero producto llega ahora en magníficas condiciones incluso a las zonas más alejadas de las costas. Los antiguos recursos de conservación, sobre todo la salazón, se han mantenido como auténticos caprichos gastronómicos.

De entre todas las miles de especies diferentes de peces de lagos, ríos y mares del mundo, la inmensa mayoría no se consumen. La división clásica que se hace de los pescados en azules y blancos se debe a su contenido graso. Hoy cobra fuerza también el considerar a algunos pescados como semigrasos, ya que no alcanzan el contenido en grasa de los azules (más de un 5%), pero sobrepasan el escaso 2% que contienen los pescados blancos. Una grasa, por cierto, que según las últimas investigaciones es beneficiosa para la salud.

Otra de nuestras joyas marinas son los mariscos, que, con definición muy acertada, se les ha denominado frutos del mar, y haciendo referencia a la cosecha que nos ofrecen generosamente mares y océanos.

Entre los mariscos hay dos grandes grupos: los crustáceos, que como su nombre indica (crusta es corteza o costra) poseen un caparazón duro o flexible, y los moluscos, palabra también derivada del latín «molluscus» que significa blando.

Todos estos mariscos son quizá los que se llevan la «palma» en los días de grandes celebraciones. Por último, hay que tener en cuenta que no todos los mejores pescados y mariscos son necesariamente los más caros.

La almeja

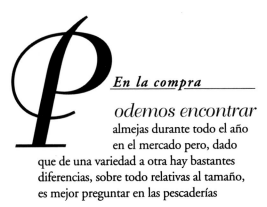

La almeja, un marisco sin duda apreciado, es un molusco bivalvo, abundante en el litoral atlántico y más escaso en las playas mediterráneas. En realidad, vive en todas las costas europeas, pero muy particularmente en Francia y en la península Ibérica, a poca profundidad, en los fondos arenosos y fangosos, comprendidos entre mareas. Alcanza entre 3 y 6 cm de longitud, y su concha generalmente es de color blanco amarillento con radios oscuros.

Vive enterrada dejando salir del suelo sus sifones.

Hay multitud de formas de consumirlo y quizá una de las más suculentas sea un típico plato de la cocina vasca, las almejas con arroz, aunque también resultan inexcusables en la propia merluza elaborada con la misma salsa.

Los expertos aseguran que la mejor forma de consumir las almejas es en crudo, ya que de esta manera se aprecia más profundamente el sabor a mar.

cuántas son necesarias para un determinado número de comensales.

Hablando de variedades, en el mercado podemos encontrar desde las almejas llamadas de concha blanda, que poseen una concha sutil y blanca, hasta las de concha dura que, a diferencia de las primeras, la cierran herméticamente al tocarla. Estas últimas tienen menor tamaño, son las más caras y normalmente se sirven crudas o al vapor.

También se comercializan las llamadas almejas «surf», que tienen unas conchas blanquecinas más grandes y más ovaladas; la almeja fina, que viene de Túnez o de Galicia, y la almeja babosa, de calidad similar a la fina y color exterior crema.

Hay que tener en cuenta que las almejas, si viven en aguas contaminadas, recogen y concentran bacterias y virus productores de enfermedades, por eso, la calidad sanitaria de las zonas donde se crían estos animales es muy importante. Para asegurar que están perfectamente sanas debemos comprarlas en establecimientos de confianza y no probar las recogidas por aficionados o que se desconozca su procedencia.

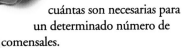

En la compra

Podemos encontrar almejas durante todo el año en el mercado pero, dado que de una variedad a otra hay bastantes diferencias, sobre todo relativas al tamaño, es mejor preguntar en las pescaderías

En la cocina

*L*a primera regla de oro para cocinar las almejas es recordar que nunca hay que cocerlas mucho, ya que la primera consecuencia será que se endurezcan y queden incomibles.

Las almejas grandes son deliciosas crudas, pletóricas de sabor marino, mientras que las pequeñas son mucho más adecuadas para hacerlas a la marinera, en arroces, en salsa verde o en otros muchos guisos marineros.

Eso sí, es muy importante, y no nos cansaremos de insistir, que si las almejas se van a comer crudas, a la hora de comprarlas hay que exigir una garantía de salubridad, es decir, que procedan de una zona marinera calificada como tal o que hayan pasado por una depuradora.

Trucos y consejos

🐟 *La mejor solución para quitar la arenilla que las almejas suelen tener dentro es lavarlas en agua fría con sal.*

🐟 *No hay que olvidar que en cualquier preparación, las almejas no deben llevar más agua que las que ellas mismas suelten, y que no hay que pasarse con el calor para que no queden secas y correosas.*

🐟 *Otra forma de dejar a remojo las almejas es con un poco de vinagre y un puñadito de sal durante una hora. Después se lavan con agua y se repite la operación, desechando las que queden abiertas. Es lo contrario a lo que sucede cuando las cocinamos, que las que hay que rechazar son las que se queden cerradas.*

Sopa de almejas

Ingredientes (6 personas):
- *1 kg de almejas*
- *2 tomates maduros sin piel ni pepitas*
- *1 cebolleta*
- *2 dientes de ajo*
- *1 l de caldo de verduras*
- *8 rebanadas de pan frito*
- *1 cucharadita de Fernet (bebida estomacal)*
- *agua*
- *sal y aceite*

Elaboración:
Lava las almejas y ábrelas en una cazuela con un poco de agua. Retíralas y reserva el caldo. Separa la carne de las almejas de la concha y resérvala por separado.

Rehoga en una cazuela con un poco de aceite la cebolleta, 1 diente de ajo y el tomate, todo bien picadito. Añade después 2 rebanadas de pan frito bien troceadas, la cucharadita de Fernet, el caldo de verduras y el caldo de cocer las almejas. Sazona. Deja cocer 1/2 hora a fuego lento para que espese. Agrega entonces las almejas y deja cocer 3 minutos más; retira del fuego.

En el momento de servir, agrega a la sopa el resto de las rebanadas de pan frito untadas con el otro diente de ajo. ●

Son muy salseras, nos dan todo su gusto y sabor.

La anchoa o boquerón

El nombre de boquerón le viene dado por el tamaño de su boca, enorme en comparación con su cuerpo.

La anchoa es, sin duda, uno de los pescados azules más apreciados por los españoles. Además es un alimento no sólo fundamental para el hombre, sino también para otros peces más grandes.

Es un manjar típicamente primaveral; aunque hoy día, están en el mercado durante todo el año, es en la época costera cuando su calidad y sabor las hace inigualables.

Son innumerables las formas en las que se utiliza la anchoa en nuestra gastronomía, tanto preparadas en fritura como en papillot, a la vinagreta y un largo etcétera, con resultados siempre satisfactorios cuando la anchoa es fresca.

En la cocina

Muchas de las anchoas pescadas en nuestros mares se destinan a la industria conservera. La anchoa en lata es una semiconserva, por lo que debe mantenerse en refrigeración entre 5° y 10° C.

Pero si la anchoa la vamos a utilizar fresca, y en concreto lo que queremos preparar son los tradicionales filetes de anchoas a la vinagreta, para conservar todo su sabor, y según una tradición de la Costa Brava, debe salvaguardarse una fina venilla roja que recorre su espina dorsal.

Entre sus formas de preparación, algunas ya reseñadas, son realmente estupendas esa particular fritura malagueña, que se hace en manojillos en forma de abanico y colocados en cajas de madera, donde se conservan las anchoas con toda su jugosidad.

En la compra

La carne de la anchoa es de sabor fuerte y aromático por su contenido y tipo de grasas, lo que hace que, si no es muy fresca, sus condiciones se alteren con facilidad. Por eso, hay que estar muy atentos a que tenga el cuerpo rígido, piel brillante y olor a mar. Los lugares donde la venta de anchoa sea abundante suelen tener más garantía de frescura por la propia rapidez del trote diario. Además no es difícil de diferenciar la anchoa fresca, ya que recién sacada del agua su lomo tiene una tonalidad azulada con el vientre plateado. Dicha tonalidad varía hacia el negro con el tiempo, así que esta propiedad puede ayudarnos a determinar su grado de frescura.

No hay que confundir la anchoa con la sardina pequeña, aunque en Castilla también se le llame sardineta. El boquerón y la anchoa son el mismo pez, pero en algunas zonas se le llama boquerón al fresco y anchoa al envasado.

🌿 **Las anchoas muy pequeñitas, quitándoles con mucho cuidado la espina, resultan ideales para revueltos y tortillas.**

🌿 **A las de tamaño mediano se les saca mucho partido rebozadas y bien fritas, así como también hechas al ajillo.**

🌿 **Antes de que empiecen a «cantar», podemos dar a las anchoas un tratamiento de maceración en vinagre. Claro está, no hacerlo cuando ya estén pochas. Las vinagretas no hacen milagros.**

Anchoas picantitas

Ingredientes (4 personas):
- 800 g de anchoas
- 2 dientes de ajo
- 1 pimiento verde
- 1 pimiento rojo
- 1 cebolleta o 1/2 cebolla
- 4 huevos
- 1/2 guindilla
- perejil picado
- aceite de oliva
- sal

Elaboración:
Limpia las anchoas, quítales la espina y córtalas en filetes.

En una cazuela pon el aceite con los ajos fileteados, el pimiento verde, el pimiento rojo y la cebolleta, todo picado, junto con la guindilla. Una vez pochado, agrega las anchoas y sazona. Rehógalo todo bien durante unos minutos y casca encima los huevos. Por último, gratina durante 2 ó 3 minutos y sirve espolvoreado con perejil picado. •

Traviesas y plateadas, saltan a nuestros platos.

El bacalao

Se puede decir que el bacalao, junto con el salmón, es uno de los pescados de consumo más universalizado, tanto fresco como curado; desde los tiempos más pretéritos ha formado parte de la dieta de muchos pueblos. Los vikingos lo consumían seco, y aguerridos pescadores vascos de ballenas fueron los que nos

enseñaron a pescarlo, a curarlo e incluso a prepararlo. Hoy día, el bacalao es una de las especies de mayor importancia comercial y gastronómica del mundo.

A este pez le gusta vivir en aguas muy frías, por eso los mejores bacalaos se pescan en Terranova y, en general, en el norte de Europa (Noruega, Islandia...).

El bacalao pertenece a la familia de los gádidos, como la merluza y el abadejo, y, aunque es un pez casi ciego, es de una voracidad enorme. Se traga casi todo lo que pasa cerca de él. Su glotonería lo pierde, pero lo ganamos nosotros al poder disfrutar de él en la mesa.

En la cocina

La cocina española e incluso la internacional, está plagada de preparaciones de bacalao en salazón. Por citar algunas podemos hablar del *bacallá amb samfaina* o a la *llauna*, tan queridas en Cataluña, o los soldaditos de Pavía de Madrid, una fritura deliciosa; o platos tan singulares como el rin ran de Valencia o la pipirrana murciana. Por supuesto, las glorias vizcaínas no pueden faltar en una relación de este tipo de platos, bacalao al pil pil, a la vizcaína, al club ranero, así como la célebre tortilla de bacalao de las sidrerías guipuzcoanas.

De todas formas, el desalado del bacalao es uno de asuntos más complejos en la culinaria de este pescado. Esencialmente se debe de proceder así: primero pasar el trozo por un chorro de agua fría para que pierda la costra de sal. Después ponerlo en remojo en abundante agua fría durante al menos 24 horas, cambiando cada ocho horas de agua. Este tiempo es mayor o menor dependiendo del grosor del bacalao. Es casi fundamental dejarlo desalar dentro del frigorífico y que el volumen del líquido sea el doble de la cantidad de bacalao.

En la compra

Hay que distinguir primero el bacalao fresco del bacalao salado o en salazón. El primero es un pescado blanco, mientras que en salazón, al aumentar la concentración de grasa, se cataloga como azul. Para elegir un buen bacalao salado debemos escoger uno de color blanco, nunca debe de ser amarillento ni con tonos rojizos. Es importantísimo que sea traslúcido, es decir, si ponemos la mano entre la bacalada y un foco potente, debe verse su silueta. Además, el bacalao debe ser flexible y

tampoco excesivamente pequeño (un mínimo de 90 cm). ¡Ah! y, por supuesto, siempre comprado con piel.

Otro dilema es de qué parte comprarlo. Aquí hay que decir que depende de lo que vayamos a preparar. Las tajadas de la parte del vientre son más finas, contienen más gelatina y son muy buenas para la salsa verde y, sobre todo, para el pil pil. Del lomo, más jugoso y con más carne, para muchas otras recetas, tanto para laminar (tan de moda últimamente) como para hacerlas en trozo.

Trucos y consejos

 Para diferenciar el bacalao fresco del abadejo hay que fijarse en la mandíbula inferior, más saliente que la superior en el caso del abadejo, y al contrario en el bacalao.

 Algunas veces se recomienda templar el bacalao en agua llevando a ebullición. De esta forma se pierde sabor y textura. Es mejor freír las tajadas ligeramente en abundante aceite y a baja temperatura. Así la carne se contrae y se trabaja con más facilidad.

 Sin embargo, esta técnica del templado es buena para las ensaladas con bacalao en láminas ya que, como después no volverá a hervir, no pierde sus cualidades.

 Los tiempos aproximados de desalado del bacalao son: para el muy grueso y precortado, 48 horas; para un bacalao más delgado, entre 24 y 36 horas, y para el desmigado, basta con 7 horas.

Bacalao a la casera

Ingredientes (4 personas):
- 4 lomos de bacalao desalado
- harina
- pan rallado
- 250 g de salsa de tomate
- 4 pimientos verdes
- 2 ajos
- 1 cebolla
- perejil picado
- aceite
- sal

Elaboración:
En una sartén con un poco de aceite caliente, fríe por ambas caras los lomos de bacalao, pasados previamente por harina. Déjalos que se doren sólo un poquito. Colócalos en una fuente de horno y reserva.

Aparte, fríe los pimientos en aros junto con la cebolla picada, sala y deja que poche. Agrega la salsa de tomate. Deja que se caliente y baña con ello los lomos de bacalao. Después, espolvorea con una mezcla de pan rallado, dos dientes de ajo picados y perejil. Mételo a horno fuerte, previamente calentado, unos 5 minutos hasta que se dore. •

Ha pasado de ser un alimento impuesto por la Cuaresma a protagonista indiscutible de nuestra gastronomía.

El bonito y el atún

Tanto el bonito como el atún son pescados azules, ricos en grasas, grandes nadadores, migratorios, y que se acercan a nuestras costas en verano, en la época de la costera.

Utilizados en la cocina popular desde hace mucho tiempo, estos túnidos han sido injustamente tratados algunas veces. Hoy se les reconoce, tanto nutricionalmente como por sus cualidades gastronómicas, un gran valor. Además el atún y el bonito, junto con las sardinas, son las especies que mayoritariamente forman parte de la industria conservera. El atún y otros tipos de esta especie son de un valor nutritivo enorme. Poseen un alto nivel de grasa que ayuda, como otros pescados azules, a regular los niveles de colesterol. Por otra parte es una fuente enorme de proteínas y además sus carnes son riquísimas. Eso sí, se le sigue tachando inadecuadamente de ser un poco seco. Evidentemente, si sale estropajoso un túnido la culpa será más bien del que lo cocina.

En la compra

En el mercado podemos encontrar diversos tipos de túnidos, principalmente el atún rojo o atún del Atlántico, conocido como cimarrón. Su tamaño es muy grande. Algunos ejemplares pueden medir casi 3 metros y pesar más de 400 kg. La carne es roja oscura, parece carne de buey.

Por otra parte, el bonito del norte, llamado también atún blanco, tiene la carne mucho más fina. Es más pequeño que el rojo y con la carne más blanca. Su tamaño ronda 1 metro y su peso los 10 kg. Este bonito del norte aparece en nuestros mercados en su época de pesca que es de junio a octubre, ya que estos peces salen de las profundidades a la superficie al final de la primavera y el verano. Es una especie como su nombre indica, abundante en el Cantábrico sobre todo en el golfo de Vizcaya.

En la cocina

Hay que tener en cuenta que tanto el atún rojo como el blanco son pescados muy grasos, por lo que se puede alterar fácilmente. Conviene consumirlos rápido o hacer una congelación casera, teniendo en cuenta que se conservarán también menos tiempo que el pescado blanco que congelemos. Las preparaciones más famosas de estos túnidos son con tomate, encebollados, en empanadas y, por supuesto, en las nuevas creaciones que no son ninguna moda pasajera, los marinados, cebiches e, incluso, en preparaciones en crudo como el tartar o los carpaccios. Hay una fórmula muy típica del norte de la Península, un sabroso guiso marinero que desde Cantabria al País Vasco ha cobrado mucha fama; se trata de la marmita o el

marmitako, plato en el que intervienen las patatas así como pimientos, tomate y otros complementos. Antes de la implantación de la patata dentro de nuestros hábitos alimentarios se utilizaba en estas marmitas el pan en lugar de aquélla.

Una parte de estos peces muy apreciada por los buenos gastrónomos es la llamada ijada, mendresca, ventrisca, vendrescha, chaleco o barriga del bonito. Desde el cuello hasta su vientre, jugosa, suave, al horno o a la parrilla es una delicadeza exquisita.

Trucos y consejos

Si queremos congelar atún y bonito nos interesa comprar rodajas enteras. No lavarlas, sólo limpiar las escamas y envolverlas por separado en plástico adherente.

El tiempo de conservación en el congelador será como máximo de tres meses. Después de descongeladas se les quita la piel, la espina central y las partes ensangrentadas. Una vez limpias están listas para cocinar.

Los medallones de atún o bonito que se hacen en trozos hay que cortarlos en diagonal para que queden más jugosos.

La carne del atún o bonito fresco debe estar bien adherida a la piel y a la espina central.

Delicias de bonito

Ingredientes (4 personas):
- 1 kg de bonito
- unas ramitas de perejil
- agua
- sal

Para la fritada:
- cebolla, tomate, ajo, pimiento rojo y verde
- aceite de oliva
- sal

Elaboración:
Prepara una fritada: en una sartén con aceite rehoga cebolla, tomate, ajo y pimientos verde y rojo, todo bien troceado. Sazona. Déjalo cocer hasta que las verduras estén tiernas.
Escalda el bonito limpio y fileteado en agua hirviendo con unas ramitas de perejil y sal de 2 a 4 minutos. Escurre y reserva.
Cuando la verdura esté bien pochada, añade el bonito. Deja hacer unos 2 minutos por cada lado y sirve. •

Pase con ellos un auténtico verano azul.

La caballa
o verdel

La caballa es un pescado azul, rico en grasas, que se distingue fácilmente porque su lomo es de color azul metálico con rayas negras y vientre plateado. Otra de sus características es que en sus costados, antes de llegar a la cola, sobresalen cinco picos espinosos.

La caballa se pesca durante todo el año, aunque es en los meses de primavera y verano (momento en el que se acerca a las costas) cuando se ve más en los mercados, ya que las capturas aumentan. Por eso, la época ideal para comprarlo en las pescaderías es entre los meses de abril a septiembre.

parrilla o al horno. Además, la carne de la caballa puede sustituir a la del bonito a la hora de elaborar un delicioso marmitako. Este cambio es sin duda ventajoso, si tenemos en cuenta que la costera de la caballa se adelanta unos meses a la del bonito.

En la cocina

Las mejores caballas, las más aconsejables, son las pequeñas, las llamadas del año. Sin embargo, si le queremos dar una utilidad a la parrilla es mejor adquirirlas más grandes, ya que les sacaremos mucho mejor provecho.

A la hora de preparar la caballa, y si la vamos a hacer asada, es conveniente darle unos cortes longitudinales en la piel, para que ésta no se reviente en el horno. Otras formas de dar una airosa y a la vez exquisita salida a este pescado, es preparándolo a la

En la compra

Este pescado tiene dos ventajas evidentes a la hora de comprarla. La primera de ellas es que es un aliado perfecto de nuestro bolsillo. Pero por si esto fuera poco, además de barata también es suculenta. Aunque también es verdad que, aunque su carne es muy sabrosa, a veces es un poco indigesta y tiene un sabor un poco fuerte. Al tratarse de un pescado azul, no nos podemos olvidar que hay que comprarlo y consumirlo rápidamente. Por eso, desconfíe de este pescado cuando su carne esté blanda y poco brillante. Mire que la carne sea lustrosa y rígida. Por cierto, que el color natural de la carne de la caballa siempre es oscuro, no vaya a pensar que es un síntoma de poca frescura.

Bajo el nombre de verdel o caballa encontramos dos especies parecidas, pero con ciertos matices diferentes: la caballa propiamente dicha, y el estornino, que se diferencia por su distribución más amplia, aunque a la hora de la compra, bien es verdad que se utilizan indistintamente.

Trucos y consejos

𝒜 *Aunque en algunos lugares se llame a la caballa estornino, este último, de tamaño y aspecto similar, se diferencia de aquélla por unos puntos negros que recorren todo su lomo a lo largo.*

𝒜 *Una de las formas de descubrir la falta de frescura, tan importante en este pescado, es que a las pocas horas de ser pescada su cuerpo se vuelve flácido y pierde la tersura.*

𝒜 *Si no hay caballa fresca, hay magníficos enlatados de este pescado, que a veces no se valoran lo suficiente.*

Caballa en adobo

Ingredientes (4 personas):
- 4 caballas de ración (300 g)
- harina y huevo batido para rebozar
- 1/2 limón
- sal y aceite

Para el adobo:
- 3 ó 4 dientes de ajo
- 1 cucharada de pimentón (dulce o picante)
- 1/2 cucharada de orégano
- 1/2 vaso de vinagre
- 1/2 vaso de aceite

Elaboración:
Filetea las caballas y quítales la piel. Sazona por los dos lados.
Prepara el adobo machacando en un mortero los ajos picados junto con el pimentón y el orégano. Después, añade el vinagre y el aceite. Coloca los filetes de caballa en un recipiente hondo y cúbrelos con el adobo. Déjalos reposar durante 2 ó 3 horas. Pasado este tiempo, escurre los filetes, rebózalos con harina y huevo y fríelos en aceite caliente.
Sírvelos, decorando la fuente con el limón. •

Fresca es brilla y tersa, y si no una tristeza.

El cabracho

Su otra denominación, escorpena, procede del griego «skorpios», y viene a comparar al cabracho con los escorpiones por la gran cantidad de espinas venenosas que eriza su cabeza.

Otra de las características de este pescado azul es que su color cambia según la zona donde viva, normalmente es marrón rojizo con jaspeados oscuros y claros.

Su cuerpo es robusto, algo aplanado por los lados, con cabeza grande, ancha y acorazada de espinas, tal y como anteriormente hemos señalado, y la terminación de la cola es redondeada.

El cabracho vive en fondos rocosos del mar Mediterráneo y en el océano Atlántico, principalmente.

En realidad su hábitat más frecuente durante todo el año son los mares más bien cálidos, aunque en nuestras costas se consigue especialmente en los meses de verano.

pastel. Precisamente hablando de este tipo de pasteles es necesario referirnos a uno que marcó toda una época, que es el pudin de kabrarroka de Juan Mari Arzak, que a comienzos de los años setenta puso de moda este pescado tan maravilloso. También resulta inolvidable comerlo con una salsita verde con patatas, al estilo de los pescadores de la localidad costera guipuzcoana de Guetaria. Mejor aún cuando se hace con patatitas nuevas.

En la cocina

Este pescado es muy apreciado y utilizado en toda la gastronomía española, en especial en los asadores y restaurantes del País Vasco, donde se le da una multitud de aplicaciones y su carne es sumamente cotizada, y en las cocinas mediterráneas, donde se usa tanto para dar sabor a las sopas como para prepararlo simplemente con una salsa (generalmente con alioli) que le acompaña. El cabracho es también muy adecuado para la confección de guisos marineros y calderetas, para utilizarlo a la hora de hacer cualquier caldo o sopa de pescado e, incluso, un exquisito

En la compra

Se suele confundir el cabracho con la gallineta, que es otro tipo de escorpénido. En realidad, en las pescaderías españolas se presentan diversos tipos de escorpénidos que se asimilan todos al cabracho, aunque sean distintos. Por simplificar las cosas, se puede hablar fundamentalmente de tres tipos: uno de ojos grandes y grisáceos, que tiene manchas muy profundas en las aletas dorsales; otro, de un color teja y con unas motas singulares, y, por último, unos ejemplares más oscuros que están pintados con puntitos rojos. Todos ellos, siendo frescos, resultan igual de deliciosos, y admiten las mismas preparaciones, propias de pescados de carnes prietas y que son auténticamente unas bocanadas de mar.

Cabracho con patatas

Ingredientes (4 personas):

- 4 cabrachos de ración
- 3 patatas
- 2 dientes de ajo
- 1 cebolleta o cebolla
- carne de pimientos choriceros
- aceite
- agua
- perejil
- sal

Elaboración:

Filetea los cabrachos, sazona y reserva las cabezas y las espinas. Sofríe éstas en un recipiente con un poco de aceite, hasta que se doren. Después, cúbrelas de agua, añade unas ramitas de perejil y sala. Déjalo cocer durante unos 15 minutos aproximadamente para hacer un caldo.

Corta las patatas en lonchas de medio centímetro. Pocha en una cazuela con un poco de aceite los ajos fileteados y la cebolleta picada.

Añade las patatas, rehoga bien y cubre con el caldo colado; agrega la carne de pimientos choriceros y perejil picado. Después de 25 minutos aproximadamente, cuando las patatas estén casi hechas, añade los filetes de cabracho y deja que se haga todo durante unos 8 minutos. Pruébalo de sal y sirve los filetes y las patatas. ●

Fea como un nublado, rica como una playa.

El calamar

El calamar es un molusco marino cefalópodo, palabra esta última que significa la cabeza en los pies, y que alude a su forma.

El calamar es de color blanco rosado con un hueso transparente, una gran aleta en forma de rombo y diez tentáculos. Su cuerpo también está cubierto de membranas negruzcas.

El nombre de calamar deriva de la palabra latina «calamarius», que significa tintero. Evidentemente, la tinta negra que este cefalópodo utiliza para escapar de sus depredadores, y que nosotros utilizamos para la elaboración de esa deliciosa salsa negra que es una de las escasas manifestaciones del negro absoluto en la cocina. Desde luego, el calamar contiene dentro de su cuerpo todo cuanto se necesita para escribir: la tinta y un huesecillo que, no por casualidad, se denomina pluma.

Se encuentran estos moluscos en la mayoría de los mares templados. Viven en aguas libres y profundas . Forman bancos que siguen las corrientes marinas y no se posan en el fondo del mar. En los meses de verano suben a la superficie y se acercan a las playas y son un poco románticos, pues viajan de noche y sobre todo cuando hay luna llena.

En la compra

Por desgracia el calamar es cada vez más escaso, sobre todo a causa de la pesca masiva que se ha hecho a lo largo de todo nuestro litoral. Los calamares frescos tienen la piel de color crema, con manchas pardo-rojizas. Con el paso del tiempo, esta piel se va volviendo rosácea, por lo que debemos de evitar comprarlos cuando ello sucede.

Hay que tener en cuenta que el calamar, y también la sepia, encogen mucho al cocinarse. Por tanto, debemos ser muy generosos a la hora de calcular las raciones.

La mejor época de los calamares más pequeños es el verano, concretamente durante los meses de julio y agosto, y son de mucha más calidad los capturados con coraña o anzuelo que los cogidos con red. La explicación es evidente, aunque el molusco sea el mismo: sufren mucho menos sus carnes con el primer procedimiento que con la red, donde se aplastan sus cuerpos y se acelera su deterioro.

En la cocina

Chipirón es el término popular (de origen vasco) con el que se conoce en muchas regiones españolas a los calamares pequeños. Estos chipirones son ideales para hacerlos salteados, generalmente con cebolla y pimiento verde, o bien rellenos.

Los de mayor tamaño son los mejores para rebozar, cortados en anillas, para la plancha o incluso guisados durante más largo tiempo, ya que son por lo general más tiesos. Hay muchísimas preparaciones por toda nuestra geografía. En el País Vasco se guisan los chipirones en su tinta o con fórmulas marineras, como los chipirones a lo Pelayo, de la localidad costera de Guetaria. Los malagueños los preparan de una forma riquísima, con una fritada de tomates y pimientos, fórmula que se repite con variantes por toda Andalucía y que algunas veces es acompañada por frutos secos como las almendras. Los asturianos tienen una forma muy singular de prepararlos, que es en salsa verde.

Los ejemplares grandes de calamar se pueden volver más tiernos macerándolos durante unas horas en aceite o en un agua marinada de vinagre de vino, cebollas, sal y pimienta.

Ríos de tinta se han escrito de este molusco.

Calamares en su tinta

Ingredientes (4 personas):
- *1 kg de calamares limpios*
- *tinta de los calamares*
- *4 ó 5 cebollas*
- *2 dientes de ajo*
- *perejil picado*
- *aceite de oliva*
- *agua*
- *sal fina y gorda*

Para la guarnición:
- *arroz blanco cocido*
- *triángulos de pan tostado o frito*

Elaboración:
Corta toda la cebolla en juliana, sazona y ponla a sofreír, junto con los ajos picados, en una cazuela con aceite. Sazona y, cuando esté todo bien pochado, añade la tinta disuelta con un poquito de agua y sal gorda. Mézclalo todo bien, déjalo cocer unos minutos y pásalo por la batidora. Vierte la salsa en una cazuela y añade los calamares troceados. Guísalos durante 35 minutos aproximadamente, hasta que estén tiernos, y sírvelos acompañados de arroz blanco y unos costrones de pan frito o tostado. Por último, espolvorea con perejil picado. •

Trucos y consejos

🌿 **La cocción del calamar debe ser muy breve o muy larga. Todo lo que sea tiempo intermedio nos dejará el molusco tan gomoso como un neumático.**

🌿 **Los calamares grandes, a condición de que se compren muy frescos, quedan bien después de congelarlos, ya que así se rompen las fibras de sus carnes y resultan más tiernos. Eso sí, nunca tienen que quedar blandengues.**

🌿 **Si los calamares son congelados, es mejor que se dejen descongelar dentro de la nevera, una vez sacados del congelador.**

🌿 **Las tintas de los calamares admiten muy bien la congelación. Se puede proceder partiendo una rebanada de pan de molde por la mitad y colocando las tintas con cuidado a modo de relleno de un bocadillo. Envolver todo ello en papel transparente y congelar.**

El congrio

El congrio es un pescado azul que vive principalmente en el océano Atlántico. Constituye, junto con la morena, una de las dos anguilas de mar comestibles.

Se asemeja a la anguila en su aspecto de serpiente, pero se diferencia de ésta en que tiene el maxilar superior algo adelantado con respecto al inferior. El cuerpo del congrio es liso y alargado, su piel está desnuda, sin escamas visibles y su mandíbula de carnívoro es ancha y está provista de sólidos dientes. Su piel es de color gris parduzco cuando vive en arena o en lodo y negro cuando vive entre rocas.

El congrio suele medir de 0,5 a 1,5 metros, pero se han encontrado ejemplares hasta de 3 metros de longitud. Lo mismo sucede con su peso, lo normal es que oscile entre los 5 y 15 kg, aunque también se han encontrado ejemplares de 50 kg. Como curiosidad, decir que reproduce una sola vez en la vida, ya que después muere.

Es un pez muy voraz que durante el día suele quedarse en las grietas y cavidades donde vive y al atardecer y durante la noche sale a la caza de sus presas. El congrio se alimenta principalmente de arenques, cangrejos, langostas y calamares.

La mejor época para comerlo es en primavera y otoño, pero lo podemos encontrar en las pescaderías el resto del año.

En la compra

A la hora de comprar, y pensando cómo vamos a cocinar el congrio, hay que distinguir dos partes claramente diferenciadas: la abierta, más próxima a la cabeza, y la cerrada. La primera es más sabrosa y la que mejor se presta a la cocina. La parte cerrada se consume en rodajas finas y muy fritas.

La carne del congrio es bastante fina y aromática y, aunque no tiene escamas, está llena de espinas, sobre todo por la parte de la cola; por eso, la cabeza del congrio es especialmente rica para hacer sopas de pescado. Desde luego, mucho más sabrosa que la de la merluza y también mucho más barata.

En la cocina

Los platos cocinados con este pez tienen un sabor excelente, pese a que es algo incómodo por sus espinas largas y agudas.

Es necesario, antes de cocinarlo, quitarle la piel y además es conveniente que lo tengamos 1 ó 2 horas marinando en aceite, vinagre, sal y pimienta.

Las preparaciones del congrio resultan muy similares a las de la anguila, en empanadas, con patatas o caldeirada..., siendo la mayoría de éstas típicas de

Galicia, donde este pescado es muy utilizado en la gastronomía regional.

Otra fórmula muy conocida y realmente muy rica es el congrio con guisantes, preparación habitual en Cataluña y en la cornisa cantábrica. Resulta también sensacional el congrio a la arandina, especialidad del pueblo burgalés de Aranda de Duero.

Trucos y consejos

🌿 *A tener en cuenta que la variedad gris del congrio nos proporcionará una carne más blanca y grasienta, pero de menor calidad que la variedad de piel negra.*

🌿 *La carne de este pez estará mucho más sabrosa si se deja reposar en el frigorífico durante dos o tres días antes de cocinarla.*

🌿 *Una característica particular de este pescado es la presencia, en la segunda mitad del cuerpo, de espinas que atraviesan habitualmente la carne en sentido longitudinal, lo que puede dar algún que otro susto al comensal desprevenido.*

Congrio a la sidra

Ingredientes (4 personas):

- 1 kg de congrio
- 1 pimiento verde
- 2 cebolletas
- 1 cucharada de harina
- 1/2 l de sidra
- 1/2 vaso de agua
- perejil picado
- aceite
- sal

Elaboración:

Limpia y corta el congrio en rodajas y sazónalo. Sofríe las cebolletas picadas en una cazuela de horno con aceite. Añade también el pimiento, limpio, quitadas las simientes y picado; por último, dora los trozos de congrio sazonados. Agrega la harina, rehoga bien, añade la sidra y deja que hierva durante 3 minutos, sin dejar de mover la cazuela. Pasado este tiempo, echa el 1/2 vaso de agua, el perejil picado y mételo al horno, previamente caliente, durante 10 minutos a 200°C. Liga durante unos segundos la salsa sobre el fuego y sirve en la misma cazuela. •

Mitad espinoso, mitad sabrosón.

El chicharro o jurel

El chicharro es un pez marino de la misma familia de la caballa. Su sabor es algo graso, muy suculento y agradece los tratamientos culinarios más sencillos; al horno, a la parrilla o a la sal son las fórmulas más adecuadas para su preparación, a las que sólo les hace falta la compañía de un aliño a base de zumo de limón, aceite, ajo y perejil o salsas, como la mahonesa o la holandesa, para convertirse en un bocado exquisito.

El chicharro abunda mucho en los mares templados, sobre todo en verano y otoño. Y una curiosidad, los chicharros pequeños, para defenderse de sus depredadores, se introducen dentro de las grandes medusas y, son tan poco agradecidos, que de paso se comen algunos de los órganos de estos viscosos seres; esta es una de las razones por las que son tan abundantes en la desembocadura del Guadiana, frontera entre España (Ayamonte-Huelva) y Portugal, donde las medusas son enormes y forman verdaderos ejércitos.

Otra de sus características es que viven formando grandes bancos en aguas no demasiado profundas y se reproducen habitualmente entre los meses de primavera y verano.

La temporada en la que se encuentra en su máximo esplendor, en la que está más rico, es la que comprende de diciembre a abril, pero también es verdad que se pesca en la época de verano y otoño, por lo que aparece en el mercado durante todo el año.

El chicharro agrupa a varias especies de la misma familia y de gran parecido físico. La forma de diferenciar al jurel es por su cuerpo alargado, de unos 40 ó 50 cm, con un dorso verde claro o gris azulado y los flancos de color plateado, con una línea lateral protegida por placas óseas, lisas cerca de la cabeza y espinosas más atrás.

En la compra

Uno de los mayores atractivos del chicharro es su precio, verdaderamente excelente. Es, sin duda, uno de los pescados azules más económicos.

En la cocina

Si todavía no eres un auténtico «manitas» en la cocina, una de las formas más sencillas y suculentas de comenzar a manejar los pescados es cocinándolos al horno, y el chicharro es, de hecho, uno de los pescados ideales para esta forma de cocinado. El proceso no puede ser más fácil: se coloca el pescado abierto (siempre una vez que esté limpio y para eso lo mejor

es pedir en la propia pescadería que lo hagan) en una placa con un chorro de aceite, otro de agua y un poco de sal. Finalmente se hornea a una temperatura de horno fuerte.

Trucos y consejos

🐟 *Al comprar este pescado, se debe comprobar su frescor. En un par de días, cosa que sucede sobre todo con los pescados grasos como la caballa, su carne se deteriora. Lo idóneo es que sea del día.*

🐟 *Tal vez lo más molesto del jurel sean sus espinas. De todas formas, al lado de ellas es donde más gustosidad se encuentra. Es una tarea muy latosa quitar las espinas una vez abierto el pescado, pero los «peques» se lo recompensarán comiéndose todo el animal y así crecerán más.*

🐟 *Es preferible un chicharro muy fresco a un dudoso besugo.*

Chicharro a la mostaza

Ingredientes (4 personas):
- *2 chicharros o jureles*
- *1/2 l de leche*
- *1 cucharada de harina*
- *3 cucharadas de mostaza*
- *un trozo de mantequilla*
- *perejil picado*
- *aceite*
- *sal*

Elaboración:
Limpia los chicharros y filetéalos. Dispón los filetes sazonados sobre una fuente de horno untada con un poco de aceite. Resérvalos.

Prepara una bechamel. Rehoga la harina con un trocito de mantequilla derretida en una sartén. Después, añade la leche, poco a poco y sin parar de remover, y deja cocer a fuego medio hasta que espese. Sazona y agrega la mostaza y perejil picado, mezclándolo todo bien. Vierte esta salsa sobre el pescado y métele al horno, previamente caliente, a 180°C durante 10 minutos. Sirve. •

¡Guapo y fresco, qué más quieres chicharrito...!

La faneca

La faneca es un pez de la familia de la merluza y el bacalao y, sobre todo, muy parecido a un abadejo pequeño por el tono grisáceo de su piel, con carne magra y muy blanca. Su cuerpo se asemeja a un triángulo alargado y su piel, como decimos, es grisácea con reflejos cobrizos y cambia mucho sus tonos dependiendo de la coloración de las aguas en las que viva.

Los ejemplares de roca son de tonos oscuros atravesados por bandas verticales, mientras que los de arena tienen unos reflejos gris claro y amarillo dorado, y vientre blanco.

Es un pescado muy frágil y los ingleses, que no aman mucho los platos de pescado, le tratan con un poco de desprecio debido a que se pasa fácilmente, llegando a llamarle «hasta vivo apesta».

adquirirla directamente de la lonja o de pescadores de confianza.

Simplemenete por medio del olfato podemos saber si está fresca o no.

En la cocina

Lógicamente, las preparaciones que admite este pequeño gádido son comunes con la merluza, el bacalao fresco o el abadejo. Así, hervida en un caldo corto o al vapor, aportándole un poco de gracia ya que su carne es un poco sosita, con una vinagreta con chispa. Como componente de una fritura, con la magia con la que fríen los andaluces, resulta muy atractiva y, por supuesto, guisada en salsa verde o marinera, cuidando el punto de cocción, ya que, debido a la escasa envergadura del pez, se debe hacer muy poco tiempo.

Tal vez como más rica resulte es con una vieja fórmula, la faneca al estilo de Guetaria, recogida por el siempre recordado José María Busca Isusi y que consiste en hervir ligeramente el pescado (prácticamente escaldarlo en agua hirviendo y con sal) y luego, una vez quitadas las espinas, verter sobre sus lomos la típica fritura de aceite de oliva y ajos. Es conveniente, para darle un poco de vida, un toque picante con una puntita de guindilla.

En la compra

Es un pescado blanco que se encuentra todo el año en el mercado. Por su ausencia de grasas y su fácil digestión lo puede comer toda la familia. Además, su precio es más asequible que el de sus parientes el bacalao y la merluza.

Para mayor seguridad, dado su rápido deterioro, conviene comprarlo del día, no como frase hecha, sino de verdad; por eso, suele ser conveniente en los puertos

❦ *¡Ojo!, no confundan a la faneca con el capellán, al cual se parece en calidad de hermano mayor y del que se diferencia porque la faneca tiene una mancha negra junto a la aleta pectoral.*

❦ *Es conveniente quitar las tripas de este pescado para evitar su descomposición, ya que en el tabique abdominal de color blanco nácar que rodea los intestinos es donde se produce generalmente su deterioro.*

❦ *Lo barato en este caso no sale caro siempre que sea fresquísimo.*

Filetes de faneca al vapor

Ingredientes (4 personas):
- 2 fanecas de 250 g cada una
- 1/2 kg de patatas
- 4 tomates enanos
- 1/2 cucharada de pimentón dulce
- perejil picado
- aceite
- agua
- unos granos de pimienta negra
- sal

Elaboración:
Limpia y filetea las fanecas. Cuece las patatas en agua con sal durante 20 ó 25 minutos y tritúralo con la batidora para hacer un puré. Añádele un refrito de aceite mezclado con el pimentón.

Cuece al vapor, con unos granos de pimienta, los filetes de faneca ya salados. Cuando estén cocidos (tardarán unos 5 minutos aproximadamente), coloca el puré en el fondo de una fuente y los filetes encima. Decóralo con perejil picado, los tomates y un chorrito de aceite. •

De la mar al plato y si no... para el gato.

El gallo y el lenguado

Tanto el gallo como el lenguado pertenecen a la familia de los pescados planos. Este tipo de peces son de carne blanca, delicada y magra. El lenguado tiene más relevancia culinaria que el gallo.

Todos los pescados planos, en un momento dado, cambian de imagen al mover uno de sus ojos y colocarse junto al otro, de modo que obligan a transformar toda la estructura del cuerpo, transformándose en los peces planos que todos conocemos.

Los gallos tienen una de las partes del cuerpo grisácea y la otra rosada. Esto sucede porque el lado rosado es el que queda pegado al suelo y el grisáceo es el que queda arriba, confundiéndose por su color con la arena y sirviéndole de camuflaje para despistar a sus depredadores y, a la vez, sorprender a sus presas.

La mejor temporada del gallo es de enero a junio, mientras que la del lenguado es entre los meses de marzo y octubre, aunque podemos encontrar ambos durante todo el año en las pescaderías.

Gallo y lenguado se pueden comprar vaciados, limpios y cortados ya en filetes.

En la compra

En el caso del lenguado, su frescura se reconoce en la cara inferior que es muy blanca y en sus branquias muy coloreadas y, sobre todo, cuando su piel es muy adherente.

Los lenguados más apreciados son los de tamaño mediano, ya que corresponden a dos raciones; pero cuando se va a servir individualmente es mejor elegir un lenguado que pese unos 200 g. En todos los pescados planos hay que recordar que los filetes de la parte de arriba son más gruesos y carnosos que los de la parte de abajo.

A la hora de comprar gallo en la pescadería hay dos especies que se suelen emplear indistintamente, aunque personas de paladar muy sensible establecen diferencias. Para distinguir estas dos clases de gallos únicamente debemos fijarnos en sus aletas, una las tiene moteadas y la otra no.

En la cocina

El lenguado es un pescado delicioso que admite gran número de preparaciones, tanto en salsa como rebozado, entero o en filetes.

El gallo ha sido utilizado con frecuencia como sustituto del lenguado, sobre todo hasta hace unos años, cuando su precio era más razonable que el del lenguado.

En el caso del lenguado es muy importante una escrupulosa limpieza para que no se pierda su delicado sabor. Para ello, es preciso quitarle la piel cuidando que la carne no se deteriore, por lo que, si no estamos acostumbrados a hacerlo, es mejor pedir que esta operación la realicen en la pescadería. Después se cortan las aletas con unas tijeras, se recorta la cola y por último se hace una pequeña hendidura en el costado, cerca de la cabeza, y se vacía.

Si el lenguado o el gallo van a presentarse en filetes, debemos quitar la piel de ambos lados. El lenguado, además, es muy adecuado en temporada estival, ya que es uno de los pescados que mejor resiste las temperaturas del verano sin deteriorarse, pero a pesar de ello, como ocurre con todos los demás peces, cuanto más frescos mejor.

Brochetas de gallo

Ingredientes (4 personas):
- 8 filetes de gallo
- 8 champiñones pequeños
- 8 tomates cereza
- 2 pimientos verdes
- 1 cucharadita de orégano
- 1 limón
- aceite
- agua y sal

Elaboración:
Corta los filetes de gallo por la mitad y sálalos. Limpia los champiñones y cuécelos en agua con sal unos minutos, sólo blanquearlos. Si son muy pequeños no hace falta. Corta los pimientos verdes en ocho trozos.
Pincha los ingredientes en las brochetas, alternándolos: tomate, pescado, pimiento y champiñones. Sazona y fríe las brochetas en una plancha o sartén con un poquito de aceite durante 3 ó 4 minutos por cada lado. Sírvelas acompañadas de limón y espolvoreadas con orégano. •

Planos sí, pero cómo resaltan lo que tocan.

Trucos y consejos

No es aconsejable congelar en casa los pescados planos, a no ser que se sepa a ciencia cierta que están recién pescados.

Los pescados planos pequeños, de 350 a 450 g, se cortan en dos filetes, cada uno de ellos extraído de uno de los lados del pez. En los que son de tamaño grande, se podrán sacar cuatro filetes, dos por cada lado.

Siempre se puede sustituir en cualquier receta un pescado plano por otro, dependiendo de cuál encontremos en el mercado. Aun así, el lenguado y el rodaballo serán siempre los más finos de sabor y textura.

El langostino, la gamba y la quisquilla

Los langostinos, las gambas y las quisquillas son biológicamente diferentes. Una de sus diferencias reside en que las hembras del langostino, a diferencia de otros crustáceos (entre ellos las gambas), no llevan sus huevos en el abdomen. Los langostinos tienen la cresta de la cabeza dentada por la parte superior e inferior, mientras que las gambas solamente poseen dientes en la parte superior. Las quisquillas son parecidas a las gambas pequeñas, de hecho a veces se confunden, pero son una especie diferente. Además, su tercer par de patas no acaba en pinzas, como el caso de gambas y langostinos, aunque también aquí hay excepciones.

En España, las gambas y los langostinos son los mariscos más representativos y característicos de nuestra gastronomía.

Todos ellos son ricos en sales minerales, como flúor, yodo, calcio, magnesio y proteínas. También contienen algunas vitaminas. Además, apenas tienen hidratos de carbono y la mayoría de sus grasas se concentran en la cabeza. No sólo eso, sino que es uno de los alimentos catalogados como afrodisiaco... ¡Por probar que no quede!

En la compra

Ya lo hemos repetido machaconamente, pero también aquí: lo más importante es la frescura de estos mariscos. Por tanto, deben tener el caparazón brillante, resistente y crujiente, y no mostrarán ennegrecida la parte que une la cabeza con el cuerpo. Siempre rechazarlos si tienen el mínimo olor a amoniaco o están blandos.

Debido a su alto precio, muchas veces es adecuado optar por los langostinos o gambas congeladas aunque su calidad sea menor. Siempre darán mejor resultado los

crudos que los cocidos pues, al igual que los frescos, en los congelados también se aprecia la diferencia de calidad.

En las pescaderías encontraremos dos tipos de gambas, la blanca y la roja. La gamba blanca es espigada, de caparazón traslúcido, carne muy fina y sabrosa, y con un sabor a sal inconfundible. Se pesca principalmente en la zona de Huelva y es de una gran calidad.

La gamba roja, por contra, tiene un sabor más recio, menos fino. Su cabeza es más prominente y tiene el cuerpo más corto. Es fácil diferenciarla porque, una vez pelada, sigue conservando su película roja.

En la cocina

Tanto las gambas como los langostinos son mariscos aptos para miles de situaciones y siempre nos sacarán dignamente de cualquier «apurillo». Tanto cocidas como a la plancha, en revuelto, en cóctel, etc., pocas personas se resistirán a probarlas.

Hay que recordar que los langostinos antes de cocinarlos hay que lavarlos y dejarlos a remojo en agua salada durante 10 minutos.

Para cocer los langostinos, hay que hervirlos con bigotes y patas en agua fría y salada, junto con unas rodajas de limón y unas hojas de laurel durante 3 ó 5 minutos, según el tamaño. Para que queden en su punto, se quita todo el agua del recipiente una vez cocidos y se dejan enfriar tapados en la misma cazuela donde han cocido. Nunca hay que cocerlos demasiado, quedarán gomosos. Una verdadera pena.

Espuma de langostinos

Ingredientes (4 personas):
- 400 g de langostinos cocidos y pelados
- 150 g de queso de untar
- 2 ó 3 cucharadas de mahonesa
- 1 cucharadita de mostaza
- 2 huevos duros picados
- 1/2 vasito de agua
- 1 naranja
- 1 limón
- sal

Elaboración:
Reserva las cuatro colas de langostinos más grandes y el resto pícalas. Pasa por la batidora el queso, la mahonesa, la mostaza, la sal y el agua. Bate todo bien hasta obtener la espuma. Añade después los langostinos picados y mezcla. Sírvelo en copas, colocando encima las colas de langostinos abiertas por la mitad. Espolvorea con huevo duro picado y adorna con rodajas de naranja y limón. •

Trucos y consejos

🦐 **El olor a amoniaco de estos crustáceos indica que son un poco viejos.**

🦐 **Al cocer el marisco hay diferencias entre la gamba y la quisquilla: la primera adquiere un tono rojo y brillante, mientras que la segunda se torna más rosácea y pálida.**

🦐 **Los carabineros, aunque de carne inferior a las gambas y langostinos son idóneos para sopas, cremas y salsas, por la** intensidad de su sabor y el color rojo que aportan.

🦐 **Lo más idóneo para los langostinos y gambas es cocerlos al momento. Dejar que se enfríen y comerlos tirando a tibios. Si no hay más remedio, utilizar el refrigerador, pero es menos adecuado.**

🦐 **La venilla negra que recorre los lomos del langostino es amarga, por lo que es conveniente desprenderla.**

El langostino es un tío de bigotes.

El mejillón

El nombre del mejillón proviene de la palabra latina «muscellio», que significa músculo. El mejillón es un molusco bivalvo, lo que quiere decir que tiene dos valvas que pueden ser de color negro azulado, azul oscuro o amarillento. Estas valvas están compuestas, como las de las ostras, de carbonato cálcico.

La cría de mejillones colgados en amarras es un método que se emplea especialmente en las rías de la costa atlántica española. La razón de elegir esta ubicación es muy sencilla; las tranquilas bahías marítimas gallegas aportan, por un lado, una situación protegida y, por otro, un continuo cambio de aguas gracias a la bajada y subida de la marea, lo que hace que se forme mucho plancton que es el alimento principal de los mejillones.

Además, gracias a sus extraordinarias condiciones de vida, los mejillones crecen rápidamente en las rías, de modo que ya a los 8 ó 9 meses han alcanzado un tamaño normal para el comercio, unos 7 cm de longitud o más. Para hacernos una idea, hay un dato muy curioso, y es que en Canadá o Inglaterra, para que los mejillones adquiriesen este tamaño, necesitarían de 4 a 5 años.

En la compra

En las pescaderías de nuestro país podemos encontrar dos tipos de mejillones, uno grande procedente de las rías gallegas y otro pequeño, generalmente de origen francés.

Hay dos circunstancias a tener muy en cuenta cuando vayamos a comprar mejillones; una, que los compren vivos, bien cerrados y hay que cocinarlos como muy tarde en los tres días siguientes a la compra; y la segunda condición es comprar mejillones en establecimientos de confianza que nos den una garantía de que han sido debidamente depurados, ya que es muy peligroso consumir los que no hayan pasado las pruebas sanitarias.

Otro detalle, o más bien precaución, que es muy aconsejable seguir es la de no consumir nunca este molusco en los meses más calurosos del verano, concretamente en los meses que no tienen «erre», ya que durante los meses de mayo y junio desova y no comienza a recuperarse hasta septiembre.

Por supuesto, hay que descartar todos aquellos que estén dañados.

El distinto color de la carne del mejillón es cuestión de sexo, y es que las hembras son más coloraditas que los machos. Por último, recordar que lo barato no siempre tiene que ser malo. Su precio más que razonable, no hay que relacionarlo con la mala calidad, pues su sabor es exquisito y conserva toda la frescura del mar. Es simplemente barato por su abundancia y capturarse fácilmente.

En la cocina

Hay multitud de formas de cocinar este popular marisco, a la marinera, a la crema, en empanadas, en hojaldres, fritos, a la crema, salteados, gratinados, en arroces, en tartas de pasta y en un largo etcétera.

Pero quizá una de las mejores formas de comer mejillones sean crudos, aunque también es verdad que pueden resultar peligrosos, por eso, si optamos por esta variante, lo mejor es comerlos el mismo día de la compra. Otra excelente forma de prepararlos es al vapor, ya que así conservan todas sus propiedades y además son mucho más digestivos. Cocidos al vapor pueden conservarse 48 horas refrigerados.

Es muy importante también, antes de utilizarlos, limpiarlos por completo de filamentos y parásitos que puedan haberse adherido a las valvas. Después hay que cepillarlos y repasarlos bajo el grifo.

Para congelar los mejillones, se limpian bien, se ponen en agua fría con sal durante unas horas para eliminar la arena, se escurren y se calientan en una cazuela durante un par de minutos hasta que se abran, siempre desechando los que se queden cerrados. Finalmente se extraen los moluscos de las conchas y se filtra el jugo que hayan soltado. Se meten en bolsas y se congelan.

Tan sano y coloreado como una naranja con concha.

Mejillones en fritada

Ingredientes (4 personas):
- *1 kg de mejillones*
- *2 tomates*
- *1 cebolla*
- *1 pimiento verde*
- *2 dientes de ajo*
- *1 copa de brandy*
- *perejil*
- *pimienta negra*
- *aceite y sal*

Elaboración:

En una sartén con un poco de aceite pon a rehogar la cebolla picada, los tomates pelados y picados en dados, el pimiento verde cortado en tiras, los ajos picados, unos granos de pimienta y un poco de sal. Deja al fuego 5 minutos. Cuando esté rehogado, añade la copa de brandy, retíralo del fuego y flambea con cuidado.

En una cazuela al fuego pon los mejillones para que se abran. Una vez abiertos, quítales la cáscara que no tiene carne.

Sírvelo en una fuente poniendo la fritada en el fondo y alrededor los mejillones adornados con perejil. •

Trucos y consejos

🌿 **Un kilo de mejillones tiene unos 300 gramos de carne aprovechable al cocerlo.**

🌿 **Si un mejillón tiene las valvas abiertas es que está muerto, así que ni se le ocurra probar.**

🌿 **Los mejillones comprados vivos hay que cocinarlos cuanto antes.**

🌿 **Siempre es mejor comprar un poco más de los que vayamos a necesitar, por si es preciso descartar alguno.**

🌿 **Quien quiera capturar mejillones por su cuenta debe asegurarse de que vivan en aguas no contaminadas.**

La merluza

La merluza es uno de los pescados más preciados y utilizados en nuestra gastronomía. Es un pescado blanco (bajo en grasa), y sus escasas espinas son fáciles de quitar, lo cual hace que sea adecuado tanto para niños como para personas mayores. Se puede encontrar en las pescaderías durante todo el año. Su calidad depende de los procedimientos empleados para su captura, siendo más apreciada la pescada con anzuelo.

La pescadilla es la cría de la merluza cuando no alcanza los dos kilos. De dos a tres kilos se la considera mediana, por encima de este peso se la llama merluza. A las crías más pequeñas se las denomina también cariocas, pitillos, pijotas....

En la cocina

Se puede mantener congelada hasta tres meses. Se congela bien tanto en rodajas como en filetes, o también dejando las colas enteras. Los trozos congelados pequeños se pueden cocinar directamente y los grandes se deben descongelar en el frigorífico.

Este pescado admite la mayoría de las técnicas de cocinado: al vapor, frita, al horno, en salsa, etc.

Aunque el plato estrella de la merluza es preparada en salsa verde, también interviene como ingrediente importante en ensaladas, sopas, arroces, rellenos, pudines y otros.

Pero como a mí me «chifla» es rebozada. Eso sí, hecha con mucho mimo y dejándola muy jugosa. Se puede comer a todas las horas del día.

En la compra

Aunque este pez es objeto de una pesca intensiva, su precio es elevado. La merluza suele venderse entera cuando es de tamaño mediano y en trozos o rodajas cuando es de buen tamaño.

Otra alternativa es la merluza congelada. Bien descongelada da buenos resultados y su valor nutritivo es el mismo que el de la merluza fresca, además de que su precio es mucho más asequible.

El mejor trozo es el situado detrás de la cabeza, aunque su presentación sea menos agradable. La cabeza, gracias a los cartílagos, da untuosidad a las sopas de pescado y otros guisos. Las kokotxas proceden de la zona gular de la merluza (debajo de la mandíbula).

La merluza hembra es más apreciada por su sabor que la merluza macho. Podemos distinguir una de la otra porque esta última es de cabeza grande y cuerpo largo y delgado, mientras que la hembra es más corta y llena.

Trucos y consejos

🐟 *Si utilizamos merluza congelada, conseguiremos que esté más jugosa si, una vez descongelada y antes de cocinarla, la dejamos marinar en un poco de leche.*

🐟 *Si queréis darle un mejor sabor a la merluza cocinada al horno, rocíarla con una salsa hecha con mantequilla derretida y un chorrito de limón. Ganará en jugosidad y sabor.*

🐟 *Antes de tirar los restos de pescado a la basura es conveniente que los rocíes con un chorro de limón y los metas en una bolsa de plástico bien cerrada, así evitarás que huelan.*

🐟 *Una vez limpio de escamas, aletas, etc., el pescado no debe lavarse pues se desustanciará y al cocinarlo os quedará seco. Sólo será necesario secarlo con un paño limpio o papel de celulosa.*

Merluza medio asada

Ingredientes (4 personas):

- 4 rodajas de merluza
- 2 vasos de vino blanco
- 1 hoja de laurel
- 2 dientes de ajo
- 2 yemas de huevo duro
- 50 g de almendras tostadas
- 1 limón
- pimentón dulce
- aceite de oliva
- agua
- sal

Para acompañar:

- judías verdes cocidas
- 1 diente de ajo
- aceite de oliva

Elaboración:

Limpia las rodajas de merluza y cuécelas en agua hirviendo con el vino blanco, laurel y sal, durante unos 4 minutos. Después, sácalas y colócalas en una fuente o cazuela resistente al horno. Reserva un poco del caldo de cocción.

En un mortero machaca los ajos, las yemas de huevo, las almendras y 2 cucharaditas de pimentón. Añade después un chorro de aceite de oliva y mézclalo todo hasta formar una pasta. Disuélvela con un poco del caldo de cocer el pescado (unos 2 cacillos).

Vierte esta salsa sobre la merluza y métela al horno, previamente caliente, a 180°C durante 10 minutos aproximadamente, añadiendo otros 2 cacillos de caldo de pescado para que no se seque.

Coloca con mucho cuidado las rodajas de merluza en una fuente de servir. Vierte por encima la salsa del asado, y adorna con las judías verdes cocidas y salteadas con aceite y un diente de ajo. Decora con el limón. •

Una señora del mar y la reina de nuestra cocina.

El perlón

El perlón se puede considerar un pescado blanco ya que su carne tiene muy poca grasa. Su color es variable: por ejemplo, en la región atlántica normalmente es gris, gris rojizo o marrón grisáceo. En el Mediterráneo, sin embargo, su color es normalmente rojo o marrón rojizo. Su cabeza es voluminosa, completamente acorazada con crestas y apéndices puntiagudos. Su cuerpo es alargado, con escamas muy pequeñas. La carne del perlón es prieta, blanca y muy sabrosa.

El perlón habita en los fondos arenosos o fangosos de aguas cálidas y templadas. Durante los meses de verano se dirige a las costas y, en ocasiones, a las desembocaduras de los ríos, generalmente en grupos.

El perlón se alimenta de pequeños crustáceos y otros pequeños animales del fondo.

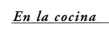

finura de su carne, por lo que el ama de casa no notará la diferencia.

Es un pescado un poco intermedio entre el cabracho y el salmonete. No es tan elegante como este último ni tan feo como el primero. Además, su precio suele ser fantástico, máxime cuando se compra en los puntos de venta más próximos al mar, ya que su comercialización en el interior suele ser escasa.

En la compra

Generalmente se compran enteros y hay que calcular unos 300 g por persona, ya que tienen mucha pérdida una vez quitada la cabeza y las raspas.

Con el nombre de perlón se conocen a varios peces de diferentes especies pero de la misma familia. Todos ellos son muy parecidos en su aspecto externo y en la

En la cocina

La única pega del perlón es que por su desproporcionada cabeza tiene mucho desperdicio.

El perlón es ideal, una vez cocido, para hacer pasteles de pescado. También puede hervirse en un caldo corto o usarse para fritura o para la parrilla.

Es un elemento muy importante para una sopa de pescado, sobre todo su voluminosa cabeza llena de gelatina aporta una densidad al caldo, además de muchísimo gusto.

En salsa verde, o mejor aún, en esas deliciosas salsas amarillas con azafrán son muy resultones.

Trucos y consejos

🌿 *Aunque hay multitud de nombres, a lo largo de la geografía española las especies más destacadas son el rubio propiamente dicho y el llamado borracho, que tiene escamas laterales salientes y puntas oscuras.*

🌿 *Cuando se elabore con este pescado un pudin o pastel, no se pase en las cantidades del mismo, ya que lo único que conseguirá es que quede apelmazado y con exceso de sabor.*

🌿 *Cuando cueza este pescado para elaborar un caldo base, por ejemplo de una sopa, no lo cueza en exceso, ya que se reconcentra el gusto y recuerda a las comidas gatunas.*

Perlón en salsa verde

Ingredientes (4 personas):

- 8 filetes de perlón
- 1 cebolleta
- 1 diente de ajo
- 4 espárragos cocidos
- caldo de espárragos
- 2 huevos duros
- 20 almejas
- 1/2 vaso de vino blanco
- harina
- aceite
- perejil picado
- sal

Elaboración:

Pica fino el ajo y la cebolleta y ponlos a pochar en una cazuela con aceite. Sazona. En cuanto se doren, añade una cucharada de harina, rehoga y agrega el vino, el caldo de espárragos y las almejas. Añade también el pescado sazonado y pasado por harina. Déjalo hacer 3 ó 4 minutos por cada lado a fuego suave y espolvorea con perejil picado. Añade los espárragos y los huevos cortados en cuartos. Prueba de sal, déjalo cocer unos minutos y sirve. •

Aunque se le llame cabezón y borracho es también muy cuco.

El pulpo

El pulpo es un molusco blando que puede alcanzar gran tamaño. No es frecuente que sobrepase el metro de longitud, aunque puede llegar a medir metro y medio. Sin embargo, hay multitud de leyendas sobre pulpos gigantescos que no son más que cuentos fantásticos.

Este cefalópodo vive en fondos rocosos y de día suele ocultarse entre las rocas, de las que adopta su coloración para pasar inadvertido. Es un poco noctámbulo, y a horas intempestivas se alimenta de pequeños peces, crustáceos y de sus propios familiares, los moluscos.

Con sus potentes tentáculos arrastra a las presas a su guarida.

Como es un gran mariscador, el sabor de su carne es excelente, ya que se alimenta normalmente de almejas, cangrejos y quisquillas. Es, por tanto, muy feo, pero de riquísimas carnes.

Se ha dicho que es el pueblo más pulpeiro del mundo. Tienen los gallegos una fórmula de prepararlo que se conoce en medio mundo, es el celebre pulpo «a feira», plato rústico y campesino donde los haya, cocido en calderas de cobre y troceado en rodajas que se aderezan con sal, aceite y pimentón. Su presentación se suele hacer en tablas de madera. Está también de chuparse los dedos el pulpo con garbanzos que elaboran los pescadores del litoral

malagueño. Son impresionantes los pulpitos enanos asados a las brasas, muy representativos de la costa catalana. Y en la zona norteña abundan las preparaciones de sopas y calderetas con este cefalópodo. Es buenísima y muy particular una sopa elaborada con pulpos desecados en mi pueblo, Zarautz.

En la cocina

Es importantísima la cocción del pulpo; hace falta abundante agua hirviendo y sumergirlo en ella tres o cuatro veces sujetando con unos palos su cabeza hasta que se «encoja». A eso se le llama «asustar al pulpo» y según expertas cocedoras de este animal, es decir, las pulpeiras, se consigue queden más finos y los tentáculos no pierdan los llamados botones.

El pulpo forma parte de la tradición gastronómica más arraigada de Galicia.

En la compra

Podemos encontrar diversos tipos de pulpos en el mercado. Por un lado, el pulpo común, el más conocido en el Atlántico y el Mediterráneo y que se caracteriza por tener una cabeza bastante grande, un par de ojos notables y ocho brazos con dos series de ventosas.

Por otra parte, el pulpo blanco, semejante al común pero más pequeño. Se le llama también almizclado porque despide un fuerte olor a esa esencia. Tiene los brazos unidos a la base por una

membrana con una sola serie de ventosas. Es el más habitual en las playas mediterráneas.

Y por último, el pulpo de alto, que es bastante más pequeño que el pulpo común y sus tentáculos están unidos por una piel donde nacen formando lo que se llama el brazo de paraguas.

Hay que tener en cuenta que el pulpo grande tiene menos aprovechamiento, ya que sólo se utilizan los tentáculos.

Los pequeños también suelen ser los más habituales para utilizarlos en un procedimiento tan viejo como el mundo, el desecado al sol y al aire.

Trucos y consejos

🐙 *Como se sabe, el pulpo es de carnes muy duras, por eso lo primero que hay que hacer es ablandarlas a base de golpes. Hay un procedimiento mucho más actual y menos violento que es el de congelarlo durante unos cuatro días.*

🐙 *El punto de cocción del pulpo es también muy importante; ha de quedar masticable, no muy duro, pero tampoco viscoso y blandengue. Como dicen los expertos, ha de «triscar» en la boca.*

🐙 *Para saber si el pulpo está cocido en su punto, al ponerlo a cocer en el agua añadir una patata sin pelar. Cuando esté la patata hecha y se arrugue su piel, el pulpo habrá conseguido su punto. Después, debe reposar media hora si el pulpo es pequeño y una hora si es grande.*

Pulpo guisado

Ingredientes (4 personas):
- 600 g de pulpo
- 1 cebolla
- 2 ó 3 dientes de ajo
- perejil picado
- 1 cucharada de pimentón
- 1 cucharada de harina
- 1 vaso de vino blanco
- 3 patatas (fritas en dados)
- 2 pimientos asados (en tiras)
- aceite
- agua
- sal

Elaboración:
Cuece el pulpo de una hora y cuarto a una hora y media en abundante agua con sal. Una vez cocido, déjalo reposar y pártelo en trozos pequeños.
En una cazuela con aceite, pocha la cebolla y el ajo bien picados. Después, añade el pimentón, rehoga y, a continuación, la harina; sigue rehogando. Moja con el vino blanco y 2 cazos de agua, agrega el pulpo cocido, las patatas y los pimientos. Espolvorea con perejil picado y guísalo durante 5 minutos aproximadamente. •

Un abrazo potente que nos «engancha» a su gusto.

El rape

El rape es un pescado blanco, bajo en grasas. Es además una especie muy apreciada por carecer de escamas y su carne de espinas, y además por tener un exquisito sabor y una textura más bien compacta, sumamente agradable. De hecho, este pescado ya era muy estimado por los cocineros de la antigua Grecia, aunque hasta hace relativamente poco no era muy relevante en nuestra gastronomía, quizá por su desagradable aspecto. Sin embargo, hoy día ha sabido ganarse con creces el lugar que le corresponde, y por eso, es una de las especies más sólidamente incorporadas a la gastronomía regional española.

agudos, por eso, si lo compramos entero, hay que percatarse de que luego menguará bastante, ya que además se estrecha mucho en la cola.

Si bien es verdad que lo normal es que el rape se comercialice descabezado, hay partes de su cabeza, como las carrilleras o mofletes, de un sabor suave y gelatinoso, que resultan sabrosísimas; sería un auténtico pecado perdérselas.

En la compra

Podemos encontrar rape durante todo el año en el mercado. Pero a la hora de elegir la pieza es conveniente saber que el rape hembra es de mejor sabor que el macho. No es difícil distinguirlos, ya que el primero tiene una piel negra y un cuerpo ancho y corto, mientras que el macho tiene la piel más clara, la cabeza muy grande y el cuerpo alargado. Generalmente se les da una utilidad culinaria diferente, el rape hembra es más conveniente para guisar y el macho para hacer sopas.

A la hora de calcular cantidades, hay que recordar que el rape tiene una gran cabeza y una boca enorme con dientes muy

En la cocina

Como pasa con todos los pescados, el rape es más sabroso cuanto más fresco; aunque sus carnes aguantan más que las de otros peces sin deteriorarse, no pasa lo mismo con su sabor.

Del rape se ha dicho y se dice que es el pescado más amariscado de todos, ya que por su sabor y no por su textura, que es diferente a la de la langosta, ha sustituido muchas veces a este apreciadísimo marisco en algunas preparaciones.

Entre los platos más significativos de este pescado podemos encontrar el asturiano pixin a la sidra, el elaborado en salsa verde típico del País Vasco, también las sopas de rape y el rape con patatas y alioli de Cataluña, o la caldereta de Baleares o la caldeirada gallega. Hay una fórmula, en la que interviene este pescado, de raíces internacionales, como es el rape a la americana, salsa esta que inicialmente sirvió para la langosta.

Trucos y consejos

🌿 *Es mucho más fino y de mejor sabor el rape negro, de barriga gris, que el llamado rape blanco.*

🌿 *El rape blanco suelta mucha agua al guisarlo. Por tanto, es conveniente utilizarlo sólo para sopas o calderetas, donde no importa tanto que suelte líquido.*

🌿 *Los rapes pequeños o de ración resultan también deliciosos hechos simplemente al horno y acompañados de una vinagreta templada o un refrito.*

Feos y de mucho desperdicio, pero su carne es de vicio.

Rape en vinagreta

Ingredientes (4 personas):
- 400 g de rape limpio
- 8 espárragos
- pimentón dulce
- agua
- sal

Para la vinagreta:
- 1 pimiento verde
- 1 cebolleta
- 1 pimiento rojo
- 100 g de habas escaldadas
- 1 huevo cocido
- aceite de oliva
- vinagre
- sal

Elaboración:
Cuece el rape como si fuera alangostado: límpialo y ata las dos mitades como si fuera un asado; sazónalo y úntalo con una mezcla de aceite y pimentón hasta que adquiera un color rosado; después lo envuelves en papel de aluminio bien prieto y lo cueces en una cazuela con agua hirviendo unos 15 minutos aproximadamente.

Corta las verduras de la vinagreta (pimiento verde, rojo y cebolleta) en cuadraditos o en juliana y mézclalas en un cuenco con las habas escaldadas. Añade también el huevo troceado, aceite, vinagre y sal.

Coloca el rape cocido y partido en rodajas en una fuente de servir. Aliña con la vinagreta y decora con unos espárragos. •

El rodaballo

El rodaballo es un pescado muy apreciado gastronómicamente a nivel internacional. Sin lugar a dudas es el rey de los peces planos, también llamado durante muchos años el faisán del mar.

No sólo es el más reputado de los peces planos sino también el más grande. El rodaballo puede llegar a medir hasta 1 metro de longitud y pesar unos 20 kg, si bien lo normal es que pese de 2 a 4 kg. Se alimenta de pequeños crustáceos, por lo que su carne es dura y blanca, con un delicioso paladar.

Como todos los peces planos, durante la fase de larva tiene los ojos situados uno a cada lado de la cabeza. Más adelante, el ojo derecho atraviesa la cabeza y se coloca al lado del ojo izquierdo, al mismo tiempo que sus huesos sufren una transformación, convirtiéndose así en un pez plano, cuya forma le permite permanecer tendido en el suelo y pasar desapercibido a los ojos de sus depredadores. Algunos peces planos desvían su boca hacia la derecha, como es el caso del lenguado, y otros hacia la izquierda, como le sucede al rodaballo.

El rodaballo vive en los fondos arenosos y fangosos del Atlántico y el Mediterráneo.

el año, aunque su precio suele ser bastante elevado. La implantación a lo largo de nuestras costas de granjas marinas en las que se crían rodaballos, ha contribuido a rebajar sensiblemente su precio. Por otra parte, este rodaballo de crianza tiene también ventajas ya que podemos adquirirlos al tamaño que deseemos. Una especie de «pret a porter» de esta delicia marina. La calidad de estos pescados de piscifactoría es elevada, puesto que en ellas se reproduce su forma de vida salvaje.

Algunos de los rodaballos que se pescan en nuestras costas no son propiamente tales, sino que se trata de una especie muy afín conocida como remol. Este pez, de piel rugosa y con escamas en las dos caras del cuerpo, tiene una carne de gran calidad. Se suelen pescar ambas especies en playas, junto a accidentadas rocas.

En la compra

Este pescado, calificado tradicionalmente como blanco, pero que últimamente se le encasilla como semigraso ya que posee casi un 4% de grasa, se encuentra en los mercados todo

En la cocina

La finura de las carnes de este pescado exige siempre preparaciones sencillas; no hay que romperse mucho la cabeza para obtener resultados sensacionales. Como siempre, la exigencia de la frescura es total, y luego, no desvirtuar sus carnes con salsas y guarniciones que le maten el gusto.

Hay una forma tradicional, pero algo complicadilla, que es la cocción en entero del rodaballo. Para ello, es necesario un artilugio, la turbotera, que coge su nombre precisamente de la palabra francesa que designa al rodaballo y que tiene la forma del pez. Para acompañar a esta cocción, según los gustos, podemos echar mano de una salsa de mantequilla o de una vinagreta templada. Más sencillo, pero no menos rico, es asar a la parrilla o en la barbacoa el pez en entero con su piel. Para rematar la jugada, un refrito aligerado con un buen vinagre. Tampoco es ninguna mala idea emplear el horno, la cocción o el vapor. Las tajadas de este pescado en salsa son la alternativa a todo lo expuesto.

También están de chuparse los dedos las preparaciones de este pescado hervido y con la clásica ajada de patatas y pimentón.

Trucos y consejos

❧ *El rodaballo es un pescado ideal para niños y ancianos, no sólo dietéticamente sino también porque contiene muy pocas espinas y fáciles de quitar.*

❧ *La piel del rodaballo es exquisita por la gran gelatinosidad que nos ofrece. De todas formas, posee unos molestos granitos que pasan desapercibidos al presentar la piel crujiente.*

❧ *Se dice también que en las agallas de este pescado se encuentra lo mejor de su gusto.*

Rodaballo mediterráneo

Ingredientes (4 personas):
- *4 rodaballos de ración*
- *1 cebolla*
- *1 tomate*
- *1/2 vaso de vino blanco*
- *1/4 l de salsa de tomate*
- *una pizca de azafrán*
- *aceite*
- *sal*

Para la salsa de alcaparras:
- *50 g de mantequilla*
- *1 cucharada de alcaparras*
- *zumo de 1 limón*
- *1 ajo*

Elaboración:
Lava y sazona los rodaballos. Cocínalos a la plancha con un chorrito de aceite durante 4 ó 5 minutos por cada lado. Resérvalos.
Pica la cebolla y el tomate en gajos finos. Ponlos a rehogar con aceite y añade luego el azafrán, la salsa de tomate y el vino blanco. Prueba de sal y déjalo cocer unos minutos. Vierte esta salsa en los platos, coloca encima el rodaballo y resérvalo caliente. Prepara la salsa de alcaparras de la siguiente forma: derrite la mantequilla, añade el zumo del limón, las alcaparras y el ajo picado. Puedes espolvorear con un poco de perejil. Déjalo cocer unos minutos.
Cubre los rodaballos con la salsa de alcaparras y sirve. •

Lo que tiene de grande lo tiene de bueno.

El salmón

*Desde la Grecia clásica hasta nuestros días, el salmón
ha sido conocido, consumido y apreciado
por el hombre.*

*Es uno de los peces con un ciclo vital más singular:
nace en agua dulce y, sin embargo, se pasa
la mayor parte
de su vida en el mar, regresando
al agua dulce, generalmente al río,
sólo cuando va a desovar en los
meses de verano.*

*El salmón es un pescado azul,
alto en grasas, pero curiosamente,
cuando realiza el viaje hacia su río
natal, en época de reproducción,
es tal el esfuerzo que realiza que
consume gran parte de su grasa,
por lo que durante este tiempo
no se le considera graso.*

*Hasta hace pocos años
el salmón se consideraba un pescado de lujo, sólo al alcance
de los más privilegiados, sin embargo hoy en día
se ha popularizado y abaratado notablemente,
en parte gracias a su cría en piscifactorias,
que hace que lo encontremos de forma más abundante en el
mercado y además durante todo el año; el salmón salvaje
se pesca entre marzo y mayo.*

*En la actualidad se hacen verdaderos esfuerzos para
repoblar los ríos con salmones, ya que el progreso y la
contaminación dificultan la supervivencia de este delicioso pez.
Sin embargo, y a modo de anécdota, se cuenta que hubo un
tiempo en el que nuestros ríos de la cornisa cantábrica vivieron
tales épocas de riqueza salmonera, que una de las primeras
huelgas que conoció Asturias estuvo motivada por los obreros
de una zona que se negaban a comer salmón a diario.
No hay duda de que el signo de los tiempos ha cambiado.*

En la compra

A la hora de hacer la compra debemos elegir, a poder ser, un salmón redondo y corto, de cabeza pequeña y ancho cuerpo. Aconsejamos que la cabeza sea pequeña porque ésta puede llegar a representar la quinta parte del peso total del pescado.

Otro detalle importante es fijarse en la carne del salmón, siempre debe ser rosada y algo grasa. No se han de comprar los trozos que parezcan blandos, grisáceos, aceitosos o aguados.

Una forma de saber si el salmón es fresco, es fijándose si entre las capas de la carne existe una sustancia cremosa que al cocinarla posteriormente cuajará.

Cuando lo que vayamos a comprar sea salmón ahumado, el pescado presentará una consistencia firme al tacto, será traslúcido y no presentará manchas, sabores ni olores anormales. Su coloración puede variar dependiendo de la especie.

En la cocina

El salmón es un pescado agradecido, no sólo por su sabor, sino también porque admite todas las formas de cocción. Puede hacerse al horno, emparrillado, cocido, guisado, e incluso en algunos países es costumbre comerlo crudo.

Además es de los pocos pescados que tienen la virtud de resultar extraordinario sin ningún tipo de aderezos. La mejor

fórmula para disfrutar de él es cocinarlo sencillamente y servirlo sin más acompañamiento que una salsa adecuada y unas patatas nuevas hervidas.

Además, si el salmón se presenta en la mesa entero, entrará por su gran elegancia directamente por los ojos.

De las pocas pegas que tiene el salmón es que es muy perecedero, debido a que es graso, por eso debe consumirse en 1 ó 2 días y conservarse siempre refrigerado.

Trucos y consejos

🌿 *La mejor forma de saber si el salmón es fresco, a la hora de comprarlo, es levantar las escamas con la uña. Si éstas se desprenden fácilmente, el pescado será viejo, y si se resisten, será un signo de que es fresco.*

🌿 *Una forma de distinguir si el salmón ahumado es de buena calidad, es presionar con los dedos. Si suelta agua, desconfíe del producto.*

🌿 *Para saber cual es el punto del salmón, tanto en cocción como a la plancha, se introduce la punta de un cuchillo entre sus vetas, y cuando éstas se separen con facilidad ya estará a punto.*

🌿 *Si te regalan un salmón recién pescado y necesitas limpiarlo, lo mejor es que dejes intacta la cabeza y la cola, ya que después de cocinada, la piel se quita cuidadosamente de una sola vez.*

Salmón a la plancha con verduras

Ingredientes (4 personas):
- *800 g de salmón*
- *200 g de guisantes*
- *2 patatas*
- *zanahorias y patatas, cocidas y torneadas*
- *perejil picado*
- *agua*
- *sal y pimienta*

Elaboración:

Sazona con sal y pimienta el salmón. Fríelo en una sartén muy caliente, sin aceite, por los dos lados. Reserva.

Cuece los guisantes y las patatas troceadas en agua con sal. Una vez cocidos, pásalos por la batidora y vierte el puré en una fuente. Coloca encima el salmón frito.

Acompaña con las verduras cocidas y torneadas, que habrás salteado previamente en la sartén donde has frito el salmón. Espolvorea con perejil picado. •

Rey del río, señor del mar, conquistador de la mesa.

El salmonete

Se trata de uno de los pescados azules más apreciados dentro de nuestra gastronomía, especialmente en la mediterránea.

Existen dos variedades de salmonetes, de roca y de fango.

Los llamados de roca tienen un color dominante rosa oscuro en el cuerpo, con alguna línea amarilla brillante y oscura (rayado) y el cuerpo cubierto de escamas más grandes. Además posee una mancha negra adornando su primera aleta dorsal. Son de mayor calidad, ya que su carne es dura y con mucho sabor. Los salmonetes de fango, por su parte, son de color rosa pálido y no les atraviesa el cuerpo ninguna raya amarilla. Su aspecto es más apagado que el de los de roca, y puede presentar ciertos reflejos de oliva. Su carne no es tan dura como la del salmonete de roca, se deshace fácilmente.

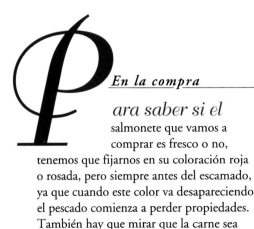

Los salmonetes, en situaciones de peligro, es decir, cuando se sienten atrapados, pueden variar su coloración externa.

En la compra

Para saber si el salmonete que vamos a comprar es fresco o no, tenemos que fijarnos en su coloración roja o rosada, pero siempre antes del escamado, ya que cuando este color va desapareciendo el pescado comienza a perder propiedades. También hay que mirar que la carne sea firme y el cuerpo muy rígido, la piel bien tersa y el ojo saliente y claro.

A pesar de estar lleno de espinas, el salmonete es un pescado altamente valorado por los consumidores, pero es muy frágil, por eso es conveniente tanto venderlo como prepararlo rápidamente.

En la cocina

Los salmonetes muy pequeños y frescos, con colores vivos y carne firme, no es necesario que se vacíen. Una vez lavados, secos y sazonados, como más ricos están es a la parrilla o a la plancha. Los salmonetes de carne más seca son los más adecuados para prepararlos fritos.

Por otro lado, y teniendo en cuenta su tamaño, los que sean medianos son los más adecuados para cocinarlos al grill, untados previamente con un poco de aceite de oliva.

Los grandes, sin embargo, los cercanos al 1/2 kg, resultan exquisitos asados al horno o en papillote.

Salmonetes marinados al horno

Ingredientes (4 personas):

- *4 salmonetes de 250 g cada uno*
- *1 tomate*
- *2 cebolletas*
- *1 vaso de vino blanco*
- *2 dientes de ajo*
- *una pizca de tomillo*
- *2 limones*
- *pan rallado*
- *perejil picado*
- *aceite*
- *sal*

Elaboración:

Limpia los salmonetes de escamas y tripas, sálalos y ponlos a macerar durante media hora con el zumo de un limón en el frigorífico.

Pica el tomate, el ajo y la cebolleta y póchalo en un poco de aceite. Cuando esté, añade el tomillo y el vino blanco; déjalo cocer unos 8 minutos y espolvorea con perejil picado. Coloca los salmonetes en una fuente o en la bandeja del horno y cúbrelos con la salsa, espolvorea con pan rallado y mételos al horno, previamente caliente, a 180°C unos 10 ó 15 minutos. Pasado este tiempo sácalos y sírvelos acompañados de la salsa del asado y adornados con el otro limón cortado en rodajas o gajos. •

Brillan sus ojos, brilla su piel, brilla todo él.

La sardina

Conocida como la reina del pescado azul por su alto porcentaje en grasas y su fuerte sabor, la sardina engloba a varias especies y se encuentra todo el año en el Atlántico, Mediterráneo y Cantábrico. La mejor temporada de la sardina es durante los meses de verano.

Este pequeño pescado es rico en nutrientes y elementos energéticos, además de ser sabroso, abundante y barato.

Es también muy relevante en la industria conservera, siendo la más apreciada la conserva en aceite, donde la calidad gastronómica de la sardina mejora con el paso del tiempo. No es menos atrayente la famosa conserva en salmuera.

Las sardinas limpias y sin cabeza se cocinan generalmente en escabeche, en guisos marineros, en frituras o en empanadas. Sin embargo, la sardina entera, es decir, no despojada de espinas ni vísceras, es mucho más adecuada para la brasa, la parrilla y, si es muy pequeña, para freírla.

En la cocina

Es la protagonista indiscutible de la gastronomía tradicional y veraniega; es una cocina asociada siempre al lado más popular y sencillo. ¿Quién no ha disfrutado como un niño con las celebres sardinadas de las localidades costeras, en especial en los pueblitos que se encuentran en la cornisa cantábrica?

A pesar de su, en principio, manifiesta sencillez a la hora de cocinarla, hay que estar muy atentos para que coja el punto exacto y, de esta forma, conserve todos sus jugos y no quede estropajosa.

En la compra

Importante es insistir en la frescura de los pescados, pero cuando además son grasos, este requisito es imprescindible ya que tienden a alterarse antes. Por eso hay que mirar que la sardina tenga los ojos saltones y brillantes, las agallas bien rojas y el olor agradable.

La temporada de la sardina va de junio a noviembre. De hecho, las mejores son las capturadas en los meses de julio y agosto, momento en el que se sobrealimentan y contienen la mayor cantidad de grasa.

Trucos y consejos

🌿 *En las sardinas en lata abundan bastante los sucedáneos; especies similares se suelen utilizar, aunque evidentemente no alcanzan la calidad de la auténtica.*

🌿 *Es conveniente fijarse también en el tipo de aceite utilizado en las latas; sin menospreciar determinados aceites vegetales, es mejor pagar un poco más a condición de encontrarnos con un aceite de oliva de calidad.*

🌿 *La mejor fórmula para hacer las sardinas grandes, llamadas en Galicia cabezudas, es directamente sobre las propias brasas, sin parrilla; ahora bien, debe mezclarse con las brasas la raspa de la panocha de maíz sin grano.*

Sardinas rebozadas

Ingredientes (4 personas):
- 24 sardinas
- 200 g de queso de untar
- 12 anchoíllas en aceite
- 3 dientes de ajo
- puré de guisantes
- harina y huevo batido
- aceite de oliva
- sal

Elaboración:
Limpia las sardinas abriéndolas por la mitad y sazona.
Coloca entre dos sardinas un poco de queso y una anchoílla. Una vez rellenas todas, rebózalas con harina y huevo batido y fríelas en abundante aceite caliente con 3 dientes de ajo enteros y sin pelar.
Sirve las sardinas en una fuente sobre un lecho de puré de guisantes. •

Pringarse los dedos, qué placer más intenso.

La trucha

La trucha es un pescado azul que puede llegar a medir medio metro de longitud. Por su exquisita carne se le ha denominado «perdiz de agua dulce», pero en realidad su nombre viene de la palabra latina «tructa».

La piel de la trucha es muy brillante y su color varía según las condiciones del agua donde viva. Así, hay truchas que tienen un color blancuzco (las de remansos, las más sosas) y otras que tienen una coloración más oscura. Las más sabrosas son las de aguas muy batidas, las que viven en los rápidos de los ríos, con motas rojas y negras.

Por tanto, es un pez que siempre vive en torrentes, lagos y ríos, y es muy apreciado por los pescadores. La trucha no puede vivir en aguas sucias, necesita aguas muy limpias y oxigenadas, de ahí su escasez en muchos de nuestros ríos.

La temporada de pesca de la trucha empieza a finales de marzo hasta finales de agosto, siendo muy abundantes en los ríos de León, Asturias, Navarra, Cantabria, Galicia y Lérida. Pero, gracias a la crianza en piscifactorías, podemos disfrutar de ella durante todo el año.

Las principales variedades de trucha son la llamada trucha salvaje o común, la de lago, la trucha marina y la trucha arco iris o de piscicultivo.

En la compra

A la hora de escoger una buena trucha tendremos que fijarnos en que presente ojos brillantes y abultados, pupila negra, branquias rojas y brillantes y las espinas muy pegadas al vientre. El color no es un signo de frescura, ya que puede variar dependiendo de la especie.

En el mercado podemos encontrar truchas frescas (de criadero) durante todo el año. Se venden enteras y debemos calcular una por persona a no ser que tengan un tamaño demasiado grande. La trucha de río, a diferencia de la de piscifactoría, es más sabrosa por su agradable sabor y la dureza de su carne.

La mayoría de las truchas que encontramos en el mercado proceden de piscifactorías. Además de su origen, piscifactoría o río, la temperatura y la cantidad de oxígeno del agua también influyen en la calidad de su carne.

En la cocina

En la cocina, a la hora de lavar la trucha, lo más importante es tener cuidado de no mojarla demasiado para que no quede acuosa. Siempre se le quitan las agallas, pero se suele dejar la cabeza.

En un recorrido por la gastronomía española encontramos platos muy típicos realizados con este pescado azul. Por ejemplo, de León, provincia muy truchera,

provienen ciertos platos como la trucha
al ajoarriero de Astorga, la trucha frita con
pimientos del Bierzo o la sopa de ajo con
trucha de Hospital de Órbigo.

En Navarra son muy apreciadas
las truchas con jamón, una combinación
tan sencilla como exquisita.

Las escabechadas, a la molinera
o al vino tinto, forman parte del más
tradicional recetario de Castilla.

Trucos y consejos

🌿 *Para distinguir la trucha común
(normalmente salvaje) de la arco iris
(de piscifactoría), debemos tener en
cuenta que la común es algo más
estilizada y su dorso grisáceo verdoso
posee unas manchas negras con unas
pintitas rojas muy pequeñas.*

🌿 *Por contra, la trucha arco iris
tiene a los lados del cuerpo una franja
con reflejos de arco iris que, sobre
todo en primavera, presenta colores
azul, violeta, rojo y rosa.
Además tiene la boca menos ancha
que la común.*

🌿 *La trucha asalmonada no es una
raza especial; su coloración y gusto se
debe a que se alimentan de diminutos
crustáceos y camarones, cuyos
caparazones rojos van transformando
con su consumo las carnes del pez
hasta volverlas rosadas.*

Truchas escabechadas

Ingredientes (4 personas):
- 4 truchas
- 4 dientes de ajo
- 1 zanahoria
- 2 hojas de laurel
- 1 vaso de vinagre
- 1 vaso de agua
- orégano
- harina
- aceite
- sal

Elaboración:
Limpia bien las truchas. Sazónalas, pásalas por harina y fríelas a fuego no
muy fuerte en una sartén con aceite. Resérvalas en una cazuela de barro un
poco honda.
Aparte, y en abundante aceite, rehoga los ajos pelados y en láminas, la zanahoria cortada en rodajas, el laurel y el orégano, hasta que tomen color.
Retíralo del fuego y deja templar y añade el vinagre y el agua. Reduce esta
salsa a fuego suave durante 5 minutos aproximadamente. Luego, échala
sobre las truchas y deja que maceren hasta el día siguiente. ●

Salvaje y deliciosa, perdiz de agua dulce.

Verduras y hortalizas

AL COMIENZO DE LOS TIEMPOS EL HOMBRE TUVO QUE contentarse con lo que le bastaba a los animales, es decir, los productos más sencillos de la tierra, las hojas, los frutos, las hierbas e incluso el heno. Recogía lo que tenía más al alcance de la mano. Primero, los frutos pequeños, las bayas de los arbustos, las semillas grandes y los bulbos y las raíces. Era fácil de recolectar y además llenaba mucho.

Poco a poco, fue comiendo también las hojas, los tallos, y las flores de algunas plantas silvestres. Se construyeron los jardines, que no eran otra cosa que prácticos huertos repletos de verduras y hortalizas que, como su nombre indica, eran ya cultivadas por el hombre.

Es curioso cómo la humanidad ha ido descubriendo la utilización de lo mejor de cada planta. Así, comemos las hojas verdes o coloreadas de escarolas, espinacas, lechugas, berros o achicorias. Flores como la coliflor o la alcachofa, raíces como zanahorias, rabos o rábanos. Tubérculos, como la patata o la batata. Brotes inmaduros, como el espárrago. Tallos y peciolos, como el apio o el cardo. Vainas y sus granos, como las habas, los guisantes o las judías verdes, y, por fin, frutos como el aguacate, el tomate, la berenjena, el calabacín o el pepino.

Pero las verduras y todos los productos de la huerta no sólo vienen del pasado, tienen un feliz presente y mucho futuro. En general se digieren bien, engordan poco, son muy sanas para nuestro organismo con todo su aporte de vitaminas, abundancia en fibras, etc. Y para mayor gozada son, por regla general, bastante baratas.

Por otra parte, aportan color a nuestros platos desde todos los tonos del verde, y admiten mil y una preparaciones, desde las más sencillas, es decir, prácticamente en crudo con un chorretón de aceite y un poco de sal, hasta recetas de muchas campanillas.

La acelga

La acelga es una excelente verdura que, además de tener propiedades vitamínicas, se presta a variadas preparaciones.

Por su propia fisonomía y características especiales se aviene a dos aprovechamientos diferentes: uno proporcionado por sus hojas, de aplicación similar a la espinaca, y otro, con la parte de las pencas, para la elaboración de rebozados, guarniciones y, por supuesto, rellenos.

Por si esto fuera poco, también es aprovechable la raíz, siendo muy recomendable para personas emotivas y nerviosas. Dicha raíz se emplea, a su vez, como forraje para la alimentación del ganado doméstico.

En la cocina

Es conveniente lavar muy bien las acelgas para eliminar totalmente los restos de tierra que suelen tener.

Asimismo, cuando hayamos picado bien las hojas de las acelgas y las hayamos cocido durante unos minutos, es muy recomendable retirar ese agua y volver a poner otra fresca para seguir cociendo, con el fin de que quede tierna y evitar que se amargue.

La penca se puede picar y cocer junto con las hojas o cocinar aparte después de haber retirado las hebras.

Las pencas de acelga rellenas (generalmente de jamón) es un plato muy típico de la cocina de Vitoria. Las acelgas con arroz, una preparación riquísima dentro de su simplicidad, también es una de las muestras típicas de la cocina tradicional valenciana.

En la compra

La acelga se encuentra en el mercado durante todo el año, aunque su mejor temporada transcurre desde la primavera hasta el otoño.

A la hora de comprar acelgas debemos fijarnos en que las hojas estén tersas y brillantes y sin zonas mustias, con las pencas duras y de color blanco.

Las diferentes variedades tienen unas cualidades gustativas similares. Sin duda, la mejor es la de hojas grandes y pencas carnosas.

La acelga verde también es buena y se caracteriza por tener hojas verdes y cortas, con pencas anchas y blancas.

La acelga común posee hojas algo amarillentas.

Por su parte, la acelga de césped tiene pencas todavía sin desarrollar.

Y, finalmente, la acelga de tallo rojo, que se consume mucho en Italia, pero no se exporta porque se marchita rápidamente.

En nuestro país los principales productores de acelgas son Cataluña y Valencia.

🌿 **Siempre es buena idea aprovechar el agua de cocer las acelgas (y otras verduras) para hacer deliciosos caldos, salsas, sopas, etc.**

🌿 **Las acelgas (como el resto de las verduras) deben limpiarse enteras y no después de troceadas, pues en tal caso pierden numerosas vitaminas y minerales.**

🌿 **Hay que tener en cuenta que al cocer la acelga mengua mucho, por tanto es conveniente calcular casi 1/2 kilo por persona.**

🌿 **La acelga es una verdura que no suele gustar mucho a los niños; por eso, una buena forma de que la coman es cocerla con muchas patatas y pasada por el pasapurés o el chino.**

Crema de acelgas con pencas

Ingredientes (4 personas):

- 1 kg de acelgas
- 1/2 kg de patatas
- 2 ó 3 zanahorias
- 2 puerros
- harina
- huevo batido
- aceite
- agua
- sal

Elaboración:

En una olla para cocer al vapor pon agua y sal gorda; sobre la rejilla coloca las pencas (blanco de las acelgas), bien limpias, y déjalas cocer hasta que estén tiernas.

En una cazuela con agua hirviendo, un chorro de aceite y sal, pon el resto de las acelgas (la parte verde), bien limpias, junto con las patatas peladas y troceadas y las otras verduras (zanahorias y puerros) también limpias y troceadas. Deja cocer durante 30 minutos y tritúralo todo con la batidora. Si quieres una crema más fina, pásalo por un chino. Resérvalo al calor.

Corta las pencas en trozos, pásalos por harina y huevo batido y fríelos en una sartén con un poco de aceite bien caliente.

Por último, añade las pencas (escurridas de aceite) a la crema y sirve. Echa por encima un chorro de aceite de oliva crudo. ●

🌿 —————————————————————————

Sus pencas son tan importantes como las piernas de una bailarina.

La alcachofa

La alcachofa es una planta de origen asiático y pertenece a la familia de los cardos. Es muy popular en las diferentes regiones de nuestra península y ocupa una parcela privilegiada en el campo culinario, ya que figura en la mayoría de las cartas del variopinto mundo hostelero.

Dada la diversidad de épocas de recolección en las zonas productoras, la alcachofa se encuentra en el mercado casi todo el año, si bien las ofertas de mayor calidad se dan a finales del otoño y a principios de la primavera.

Lo que se conoce como alcachofa es la parte floral de la planta, recogida en varias fases.

La alcachofa, además, se considera el prototipo de hortaliza sana. Es rica en vitaminas, sales minerales, fibra y apenas contiene grasas. No sólo eso, en las hojas y el tallo está presente la «cinarina», un elemento activo en el tratamiento de enfermedades hepáticas y del riñón.

En la compra

A la hora de comprar es importante la frescura de las alcachofas. Se nota que una alcachofa es fresca cuando pesa en la mano y es firme, con las hojas bien apretadas. El color de las hojas puede ser verde o tintado, de cualquier forma brillante, y con el centro no demasiado oscuro pues, en caso contrario, indicará que está a punto de abrirse.

Además de frescas, también se pueden encontrar enlatadas o congeladas durante todo el año.

En España las alcachofas de mejor calidad son las de Murcia, las «todo corazón» de la Ribera de Navarra, las famosas alcachofas de Tudela.

Esta última se distingue de otras porque su fruto es más redondo y porque en la parte superior tiene un orificio circular debido a que las hojas no llegan a juntarse para cerrar la cabezuela. Además es un fruto más tierno y carece de pelos en su interior.

En la cocina

La alcachofa lo mismo puede servirse cocida y aliñada con un poco de aceite crudo, que rebozada o frita. Además permite el acompañamiento de otras verduras (como en el caso de la menestra), de carnes (como en el popular calderete), pescados e incluso mariscos (es el caso de la invención para un viernes de cuaresma de las alcachofas con almejas, que venían a sustituir al jamón salteado).

Para limpiarlas se retuerce el tallo y se arranca; con esta operación saldrá parte de las fibras más duras de la base. Después, con un cuchillo de acero inoxidable se corta horizontalmente la base y se frota ésta con un limón para que no se oscurezca. Finalmente se lavan y se les quitan las hojas más feas o duras y ya se pueden cocinar.

Para aprovecharlas todo el año se pueden congelar: primero las limpiaremos de la forma habitual; luego, se cuecen en agua con limón de 5 a 10 minutos, dependiendo del tamaño, y ya están listas.

El tiempo de cocción de las alcachofas es de 30 a 40 minutos si van hervidas, o de 10 a 20 si van al horno o a la brasa.

Trucos y consejos

❧ *Las alcachofas frescas no se conservan bien, por lo que es preferible tomarlas en seguida; pero si hay que guardarlas lo haremos sumergiendo el tallo en agua.*

❧ *Si al agua de cocción le añadimos un terrón de azúcar nos quedarán muy sabrosas y menos amargas.*

❧ *Para llegar al delicioso corazón de la alcachofa fresca se necesita paciencia y esfuerzo, pero quienes por falta de tiempo se resistan a esta preparación previa, disponen de frascos y latas de fondos o de corazones de alcachofas ya preparados para el consumo inmediato.*

❧ *Podemos guardar las hojas limpias que sobran para la preparación de sopas y caldos.*

Alcachofas al horno

Ingredientes (4 personas):

- 8 alcachofas grandes
- 8 dientes de ajo
- 150 g de beicon o tocineta
- aceite de oliva
- 1 cucharada de harina de maíz refinada
- limón
- agua
- sal

Elaboración:

Limpia las alcachofas, quitando las hojas duras y el rabo, y frótalas con limón para que no se ennegrezcan.

Colócalas en un recipiente hondo para horno, sazona e introduce en cada una un diente de ajo picado. Pica también la mitad de la tocineta y repártela dentro de las alcachofas. Rocíalas con un chorro de aceite y un vaso de agua.

Métela al horno (previamente caliente) a 180°C hasta que estén tiernas. Tardarán unos 30 minutos aproximadamente. Coloca las alcachofas en un plato o fuente para servir y resérvalas al calor.

Fríe en una sartén con aceite el resto de la tocineta picada.

Añade el caldo de la fuente del horno y un poco de harina de maíz diluida en agua fría; remueve bien con una cuchara de madera para que no salgan grumos y déjalo cocer (sin parar de remover) hasta que espese la salsa.

Por último, salsea las alcachofas y sirve. ●

❧ _____

Una verdura que enamora por su buen corazón.

La berenjena

La berenjena, como la patata y el tomate, pertenece a la familia de las solanáceas, aunque, a diferencia de sus parientes, no es originaria de América, sino de la India.

Gracias a los cultivos de invernadero es posible conseguirlas todo el año, aunque su época natural y el momento ideal para saborearlas es entre los meses de agosto y octubre.

Durante muchos años, las adelantos técnicos en el cultivo no han dejado de mejorar el tamaño de la berenjena. Las más primitivas de las que se tienen referencia poseían el tamaño de un huevo, mientras que hoy algunas variedades, como la llamada «Monstruosa de Nueva York», pueden llegar a pesar hasta 4 kilos.

Es uno de los alimentos que se citan como anticolesterol. Las fibras de la berenjena, como las de la manzana, se unen a los alimentos ricos en colesterol, formando una mezcla que no es absorbida por el intestino. También es rica en calcio y fósforo. Sin embargo, resulta algo indigesta.

Con su sabor peculiar, la berenjena forma parte de numerosos platos orientales y mediterráneos, y suele ir unida generalmente al tomate, al calabacín, al ajo y la aceituna. Se puede comer fría o caliente, ya sea como plato principal, ya como guarnición.

En la compra

Cuando compréis berenjenas fijaos en que su piel sea tersa y sana, sin zonas ásperas ni esponjosas y, por supuesto, sin manchas marrones. Las que son pesadas para su tamaño suelen tener los canales de semillas más pequeños.

En el mercado encontraremos varios tipos de berenjenas. Pueden ser largas y delgadas o tan gruesas como un zepelín; con una piel brillante de color granate o casi negro, o bien de color marfil; de forma ovalada o redondeada. Pero todas tienen el mismo sabor; la única diferencia estriba en su consistencia.

Así, las más regordetas, y por tanto más jugosas, son las que se usan para hacer en salsa, con bechamel, al horno, etc., mientras que las largas y delgadas, como son algo más secas, se usan para freír.

Aunque la berenjena procede de climas cálidos, se ha adaptado muy bien a nuestros suelos y, de hecho, las berenjenas españolas se caracterizan por su excelente calidad.

En la cocina

Tienen diversas aplicaciones: fritas, cocidas, en guisos o rebozadas con huevo. De todas formas, su uso más general es el de guarnición de carnes y pescados. Eso sí, para cualquiera que sea el tratamiento, es muy importante su limpieza: primero se retira el pedúnculo (rabito) y el cáliz, ya que, a veces, suelen ser muy espinosos. Normalmente no se pelan porque la piel les

da gusto y color, y cuando se preparan rellenas es precisamente esta piel la que evita que se deshagan.

En todo caso, sólo se pelan las de piel muy gruesa y oscura o para realizar purés. Un buen sistema para pelarlas es introducirlas limpias y enteras en el horno con unos cortes en la piel hasta que ésta se desprenda con la ayuda de un cuchillo.

Las berenjenas no se consumen crudas porque son muy indigestas.

Entre nuestros platos más típicos tenemos la alboronía, la escalivada típicamente catalana, las berenjenas con queso y la famosa sanfaina, también originaria de Cataluña y muy apropiada para acompañar las carnes de conejo y pollo.

Trucos y consejos

✿ *Una operación que no debemos olvidar cuando cocinamos berenjenas es eliminar el agua que contienen; para ello, después de limpias y cortadas, se hacen unas incisiones paralelas y transversales en los trozos. Se colocan en un escurridor y se espolvorean con sal, dejándolas reposar como mínimo durante media hora. Después se enjuagan y se secan con un paño.*

✿ *Para que su carne blanca no se oscurezca al contacto con el aire, la fórmula ideal es rociarlas con zumo de limón después de partirlas.*

✿ *Las berenjenas se conservan bien en tarros, tanto en aceite como en vinagre. No es aconsejable congelarlas. La mejor manera de conservarlas es limpias y troceadas, después de haber sido eliminados los líquidos. Para acompañar platos de caza pueden conservarse dulces en vinagre, con agua y azúcar.*

Berenjenas completas

Ingredientes (4 personas):
- *2 berenjenas un poco grandes*
- *4 huevos pequeños*
- *4 cucharadas de puré de patata*
- *4 cucharaditas de puré de aceitunas*
- *50 g de queso rallado*
- *salsa de tomate*
- *aceite de oliva*
- *sal*

Elaboración:
Abre las berenjenas por la mitad y hazles unos cortes en la carne. Sazona, rocíalas con aceite y mételas al horno (calentado previamente) a 175°C durante 20 minutos aproximadamente. Una vez horneadas, sácales la carne, teniendo cuidado de no estropear la piel, y pícala. Mezcla esta carne con el puré de aceitunas y rellena con ello cada mitad de la berenjena. Cubre con el puré de patatas, dejando un hueco en el medio, donde cascarás un huevo. Espolvorea con el queso rallado. Mételas al horno hasta que el huevo cuaje, gratinando durante 3 ó 4 minutos. Acompaña este plato con salsa de tomate bien caliente. •

✿

Es la rosa de las hortalizas, de múltiples colores, bella, suave. ¡Ojo, pero con pinchos...!

El calabacín

El calabacín es una variedad de la calabaza, de forma alargada y piel brillante, que se consume joven. Los historiadores no se han puesto muy de acuerdo acerca de su origen, pues parece que algunas especies proceden de la India y China y otras de América Central.

El calabacín estuvo largo tiempo limitado a las cocinas mediterráneas, pero ahora se consume en otros países. Su aplicación es muy variada en toda la geografía española. Acompañado de otras verduras y hortalizas, como guarnición, rellenos, en delicioso pastel o como ingrediente de nuestro famoso pisto.

Nuestro cuerpo no sólo necesita agua para hidratarse, sino alimentos que lo hidraten. Son muchos los vegetales que funcionan como un manantial para nuestro organismo, y entre ellos se encuentra el calabacín. Su carne es firme, pero acuosa, ligera y poco calórica.

En la cocina

El calabacín tiene un sabor poco definido, neutro, lo que le convierte en un soporte ideal para cualquier tipo de relleno, de farsa, como acompañamiento, entrante, o incluso en tortilla y revueltos, donde se obtienen excelentes resultados. Las formas de prepararlo también son múltiples: al vapor, al horno, rebozado, frito, relleno y asado, en sopas, guisos, e incluso se puede consumir crudo, si es tierno.

Cortado en finas lonchas, como las patatas chips, se fríen en abundante aceite y pueden ser un aperitivo crujiente y divertido. También sus preciosas flores se pueden comer de igual forma, rebozándolas. Son como buñuelos de huerta.

El calabacín es una hortaliza que se presta muy bien a la congelación; en el frigorífico pueden conservarse hasta 3 semanas.

En la compra

Para ser bueno el calabacín, tiene que mostrar una piel de un bonito color verde brillante y sin manchas. Es preferible no comprarlos de un tamaño demasiado grande. Debemos elegirlos firmes, pesados y de aproximadamente 30 cm de longitud.

Aunque es una hortaliza típica del verano, podemos encontrarlo en nuestros mercados durante todo el año. Los mejores son los que se ofertan entre los meses de marzo a noviembre.

A la hora de comprar suele calcularse por lo general 250 g por persona.

Los calabacines grandes tienen más pepitas que los pequeños.

Trucos y consejos

🌿 **Si quieres darle más sabor a tu sopa de calabacín, añádele una pizca de canela, verás como resalta su sabor.**

🌿 **Generalmente los calabacines se cocinan ya pelados, pero si son muy tiernos no es necesario hacerlo.**

🌿 **Cuando los calabacines se hacen al horno, generalmente rellenos, se parten por la mitad en sentido longitudinal, conservando la piel para que no se deshagan.**

🌿 **Para que no queden aceitosos al freírlos, el aceite debe estar muy caliente.**

Calabacines rellenos

Ingredientes (6 personas):

- 3 calabacines
- 150 g de queso suave
- 1 cebolla picada
- 2 lonchas de jamón de York
- salsa de pimientos
- agua
- aceite
- sal y pimienta negra

Elaboración:

Cuece los calabacines enteros en agua con sal durante 15 minutos a fuego suave. Cuando estén casi hechos, sácalos, pártelos por la mitad y vacíalos con cuidado para no estropear la cáscara.

Saltea la cebolla con un poquito de aceite. Mézclala en un cuenco con la carne de calabacín, el jamón de York picado, y parte de la salsa de pimientos. Después, echa la mitad del queso rallado, salpimienta y remueve todo bien.

Rellena con esta mezcla las cáscaras de calabacines reservadas. Espolvorea por encima el resto del queso y gratínalo (2 minutos).

Presenta en una fuente con el resto de la salsa de pimientos. •

🌿

Casi de puntillas entra en nuestros platos y nos deleita.

La calabaza

Rescatada desde el punto de vista culinario, la calabaza se ofrece en los mercados buena, bonita y barata, tres adjetivos calificativos difíciles de aunar en un solo producto.

Generalmente, la mejor temporada de la calabaza es de octubre a noviembre, aunque existen variedades en otras épocas del año.

Las pepitas o semillas de una de estas variedades de calabaza, de la llamada confitera en concreto, son muy nutritivas y de ellas se obtiene (sobre todo en Europa oriental) un aceite oscuro, muy aromático y adecuado para todo tipo de ensaladas . En Europa meridional, por ejemplo, estas mismas pepitas se comen secas y algunas veces tostadas. Sus flores son muy apreciadas rellenas o envueltas en una pasta y cocinadas.

su corteza consistente, gruesa y no comestible, aparece una carne tierna y jugosa, cuyo color va del blanco al rojo naranja pasando por el amarillo.

Generalmente las calabazas confiteras pequeñas se compran enteras y las grandes a peso. Una corteza lisa, tersa y sin defectos y la presencia del tallo de unos 10 cm de longitud son señas de calidad.

El interior del fruto admite múltiples aplicaciones: es ideal para elaborar el cabello de ángel, mermelada agridulce, pasteles, sopas y cremas.

En la compra

Existen muchas variedades de calabazas, pero la más habitual en nuestros mercados es la calabaza común. Su piel y su carne son de color naranja intenso. Suele venderse en tajadas y puede usarse tanto en platos salados como en algunas preparaciones dulces.

Tampoco es difícil dar con la calabaza de peregrino, también conocida como calabaza de vinatero, llamada así por su forma de botella estrangulada, y cuya dura corteza, una vez seca, se utiliza como recipiente.

También la llamada calabaza confitera suele rivalizar en el mercado, ya que, bajo

En la cocina

La calabaza tiene múltiples aplicaciones en la cocina. Pelada y triturada sirve para hacer salsas que acompañan a carnes y pescados. Con la pulpa se hacen también deliciosas sopas. Su participación en el puchero canario resulta indispensable, así como en algunos de los antiguos caldos de Galicia, hoy recuperados. Y, por supuesto, en la salerosa olla gitana típica de Murcia.

Además se utilizan calabazas para la elaboración de rellenos, purés, pasteles y postres. La calabaza es muy utilizada en la cocina, no sólo por el atrayente colorido que proporciona, sino porque da un toque de suavidad y dulzura a todos los platos.

Él único problema que presentan la mayoría de las variedades de calabaza es que, después de cocidas, sueltan mucha agua.

Pastel de calabaza

Ingredientes (6 personas):
- 1 kg de calabaza picada fina
- 300 g de queso fresco
- 4 huevos
- 50 g de queso rallado
- 1 vaso de nata líquida
- nuez moscada
- sal
- puré de judías verdes para acompañar

Elaboración:
Deshaz bien el queso fresco y mézclalo con la calabaza; añade la nata. Bate las yemas de los huevos y agrega el queso rallado. Incorpora esta mezcla a la de calabaza, removiendo todo bien. Sazona y añade una pizca de nuez moscada.

Monta las claras a punto de nieve y mézclalas con el resto de la masa, suavemente para evitar que se bajen. Ponlo todo en un molde antiadherente y métolo al horno (previamente caliente) al baño María durante 45 minutos a 180ºC.

Acompaña este pastel con un puré de judías verdes. •

🌿 ─────────────────────────

Si le dan calabazas, aprovéchelas en un guiso, se enamorará de nuevo.

El cardo

*El cardo es originario del Mediterráneo.
Antiguamente era muy popular.
De hecho, existen referencias de su
consumo y prestigio en épocas de
griegos y romanos y, al parecer, era
considerada como una verdura de lujo,
reservada a las clases pudientes.*

*Hoy día, el cardo es la verdura
de lujo por excelencia. Su complicada
limpieza y su escaso aprovechamiento no han podido relegarla
y sigue estando presente en las mesas españolas.
Como contrapartida, ofrece un delicado sabor
y una inmejorable versatilidad en los fogones.*

*El cardo es de la misma familia que la alcachofa y,
como sucede con el apio, al cardo también se lo entierra
para blanquear los tallos, con lo que se obtiene una textura
delicada y un sabor delicioso.*

*Esta verdura es rica en calcio, y también contiene
en menor cantidad otros minerales como hierro
y potasio.*

En la cocina

*P*ara prepararlos hay que quitarles la piel, que es fibrosa y espinosa en los bordes, blanquearlos en agua hirviendo y después cocinarlos durante 30 minutos en agua.

Hay estupendas preparaciones clásicas, como los cardos al tuétano o en salsa de almendras. Como pasa con las alcachofas, sus parientes cercanos, casan de perlas con las almejas, e incluso en muchos lugares de España se toman con bacalao. El cardo entra a formar parte además en muchas de las menestras invernales, generalmente sometidas a un ligero rebozo. Sin duda, también está delicioso simplemente cocido y aderezado con aceite, o rehogado con un poco de ajo, jamón o beicon. Hay una forma de prepararlo crudo y crujiente, muy típica de la Ribera de Navarra, que resulta chocante y divertido.

En la compra

*H*ay que tener en cuenta que lo que nos llega a los mercados es la parte inferior de la planta, que parece un apio demasiado crecido, con un color entre gris y verde generalmente.

Por eso, es importante elegir los de aspecto más claro, con los tallos sólidos y consistentes y las hojas frescas.

Hay que calcular bastante cantidad por persona, ya que el cardo tiene mucho despojo. Para hacernos una idea: una mata de cardo viene a pesar aproximadamente 3 kg, de los cuales sólo se aprovecha la tercera parte, ya que únicamente son útiles las partes blancas de las pencas interiores.

Los cardos están disponibles en el mercado a final del otoño y durante todo el invierno. En conserva podemos disfrutar de él todo el año.

Trucos y consejos

🌿 *En el momento de cocción del* **cardo, se puede añadir unas gotas de limón para evitar que se oscurezca, como sucede con las alcachofas.**

🌿 *También se puede blanquear,* **cociéndolo en una mezcla de agua con un poco de harina.**

🌿 *Es conveniente como en todas* **las verduras, no pasarse en el punto de cocción. Debe sacarse «al dente», pero sin que te rompa el diente.**

🌿 *Si no se van a consumir* **inmediatamente, es mejor dejarlos en la propia agua de cocción, si no se secan y pierden toda su jugosa ternura.**

Cardo con almejas

Ingredientes (6 personas):
- 1 kg de cardo
- 1/2 kg de almejas
- 1 cebolleta
- 1 diente de ajo
- 1 limón
- harina
- 2 huevos duros
- agua
- aceite de oliva
- perejil picado
- sal

Elaboración:
Limpia bien el cardo y trocéalo. A continuación, cuécelo en agua hirviendo con limón y sal.

Aparte, pica muy finos la cebolleta y el ajo. Póchalos en una sartén con aceite. Después, agrega 2 cucharadas de harina y remueve bien. Añade el agua de cocer el cardo y déjalo al fuego un par de minutos más. Cuando la salsa haya espesado, incorpora el cardo ya cocido.

En una sartén con un poco de aceite abre las almejas y extrae su carne. Echa ésta a la cazuela con el cardo y cuece a fuego suave durante 5 minutos. Transcurrido este tiempo, prueba y rectifica de sal. Antes de servir, espolvorea con perejil y añade los huevos picados. •

🌿 ─────────────────────

La próxima vez que nos llamen cardo lo consideraremos un piropo.

La coliflor y la berza

Son muchos los botánicos que insisten en que la coliflor no es una variedad de la col común, sino que se trata de una especie distinta traída en lejanas épocas de Oriente, de donde debe de ser originaria. Lo único cierto es que tanto la coliflor como la berza son milenarias y además, en el caso de la berza, se consumía mucho más en la antigüedad que en nuestros días.

La coliflor está considerada como la más exquisita de todas las coles y, desde el punto de vista culinario, resulta cierto que es la que ofrece más posibilidades. No hay duda de que es una verdura fundamentalmente invernal, de sabor muy agradable, si bien es verdad que no es aconsejable combinarla con otras hortalizas, ya que tiende a anular el sabor de éstas.

No es muy habitual consumir las hojas de la coliflor (salvo en Galicia), lo cual es una pena porque las cercanas a la cabezuela son deliciosas. También es de lamentar que su preparación no se haga muchas veces con el cuidado que sería deseable. Por otro lado, con la berza sucede que, aunque también forma parte de innumerables platos de toda nuesta geografía, es especialmente apreciada en la zona norte de nuestro país.

importante evitar comprar la coliflor sin hojas, ya que nos revelarán su frescura. De hecho, la coliflor en nuestras latitudes se muestra blanca porque se doblan o unen por encima sus grandes y verdes hojas envolventes. Al no darle la luz, no se forma clorofila y el repollo se mantiene blanco.

En la actualidad, el cultivo de la coliflor está muy extendido en toda España y además existen variedades de color. En el mercado podremos encontrar la llamada romanesco, de color verde amarillento con una forma especial como de torrecilla, que también adquiere el nombre de minarete.

En la compra

Si lo que vamos a comprar es coliflor, hay que mirar que sea blanca y prieta, de manera que su superficie sea lisa. Hay que rechazar las floreadas, amarillentas y blandas. También es

En la cocina

Comenzando con la coliflor, hay que recordar que se conserva durante unos días en la nevera una vez cocida, pero hay que escurrirla bien y envolverla en papel de aluminio. No es además aconsejable cocerla demasiado, para que no se deshaga. Notará que ha adquirido el punto óptimo cuando esté blanda pero entera.

Para congelarlas deben ser muy frescas y estar limpias. Acto seguido hay que escaldarlas previamente de 2 a 4 minutos. Es importante en este caso agregar al agua de cocción un chorrito de zumo de limón. Para descongelar, hay que hacerlo en agua hirviendo.

En el caso de la berza, se consume normalmente cocida y rehogada con aceite, ajos y pimentón. Un buen truco para que gane mucho en sabor es cocerla con chorizo. En Galicia hay un plato muy típico que se realiza con el cogollo de la berza y que es el llamado bertón relleno, que es una especie de empanadilla, cuya cubierta es la berza cocida y en el interior se rellena con carne.

Trucos y consejos

🌿 *Para evitar el fuerte olor que* **desprende la coliflor al cocerla, hay que poner en el agua de cocción un trozo de pan empapado en vinagre o en leche. Es mejor no tapar la cazuela, ya que también ayuda a suavizar el olor.**

🌿 *Para que la coliflor salga bien* **blanca, se debe evitar cocerla en olla a presión. También se puede echar un vaso de leche en el agua de cocción, que, además de blanquearla, le dará un agradable sabor.**

🌿 *Si lo que le gusta es comer* **la coliflor cruda, en ensalada por ejemplo, hay que lavarla en agua con el zumo de un limón. Esto le dará un gustito muy agradable.**

🌿 *A la hora de cocer la berza es* **aconsejable eliminar el primer agua una vez haya hervido unos minutos.**

Coliflor con vino de Montilla

Ingredientes (4 personas):
- *1,5 kg de coliflor*
- *unos tacos de jamón curado*
- *1 cebolla*
- *3 dientes de ajo*
- *1 vaso de vino montilla-moriles*
- *una rama de hierbabuena*
- *1 cucharada de harina*
- *1/2 tomate maduro y pelado*
- *perejil picado*
- *aceite*
- *sal*

Elaboración:
Pon a cocer la coliflor, separada en ramitos, en agua con sal y harina hasta que esté tierna. Escurre y reserva.
En una cazuela con aceite pocha la cebolla, el ajo y el tomate picado; añade sal. Cuando estén dorados, agrega los tacos de jamón y rehoga. Después, el vasito de vino y la rama de hierbabuena. Añade también la coliflor en ramitos y espolvorea con perejil picado. Deja cocer a fuego lento durante 8-10 minutos y sirve. ●

🌿 *No son flores para oler, son para comer.*

La endibia

Fue obtenida por primera vez en Bélgica y de forma más bien casual. Al parecer, en este país se cultivaba mucho la achicoria para utilizar su raíz como sucedáneo de café. Alrededor de 1870 hubo una superproducción y los agricultores tuvieron que almacenar las raíces sobrantes en graneros o establos sin luz y protegidos del frío. Al cabo de un tiempo, vieron que de las raíces brotaban unas hojas largas, cerradas y blancas, y este fue el sorprendente nacimiento de las endivias.

Para obtenerlas, por tanto, precisan calor, humedad y oscuridad. El calor del establo primitivo ha sido actualmente sustituido por modernas instalaciones.

Las más apreciadas son las blancas y apretadas, con un amargor mínimo, aunque siempre hay quien las prefiere verdes, con las hojas más sueltas y de sabor más amargo.

Podemos encontrarla en el mercado desde septiembre hasta mayo, siendo la mejor época entre los meses de noviembre y abril

En la compra

La mejor endibia es la que tiene la carne firme, brillante, inflada y sin manchas. Su color además debe ser blanco, tirando a verdoso.

Hay que tener en cuenta que estos cogollitos de numerosas hojas blancas no han sido comercializados en España hasta hace unos años. Aun así, en los últimos tiempos la demanda de endibias en nuestro país ha aumentado espectacularmente, y se cultivan con éxito en Navarra, La Rioja, Soria y Valladolid. Por este motivo, no les será difícil encontrar esta apetecible verdura en el mercado, y recuerden que los mejores meses para consumirla son los que van de noviembre a abril.

En la cocina

Si no eres muy amigo del sabor amargo de la endibia, ten en cuenta que este amargor se acentúa en la cocción, por lo que es aconsejable remojarla con unas gotas de limón antes de cocinarla.

Otra forma de evitar el sabor amargo es hirviendo las endibias con el primer hervor durante 3 minutos y, transcurrido este tiempo, cambiarles el agua y volverlas a poner a cocer con agua limpia.

A la hora de guardarlas, siempre hacerlo en la oscuridad para que no se verdeen y, cuando haya que almacenarlas, evitar la luz del sol por la misma razón.

Es importante saber también que soportan mal las bajas temperaturas y que sólo es recomendable congelarlas para usarlas cocidas. Eso sí, se escaldan antes 4 ó 5 minutos en agua hirviendo, se escurren y se enfrían lo más rápido posible. Finalmente se envasan herméticamente y se congelan. Se descongelan a temperatura ambiente y retirando el exceso de agua.

🌿 **Una de las formas de suavizar las endibias y mejorarlas sensiblemente, es cociéndolas, en vez de en agua, en leche.**

🌿 **Si la endibia se va a servir deshojada en ensalada, es mejor evitar su tronquito central, ya que es una parte bastante amarga.**

🌿 **Cuando las endibias se van a utilizar en crudo es conveniente limpiarlas, no al chorro del agua, sino con un trapito húmedo para evitar que amarguen en exceso.**

🌿 **Una buena sugerencia es acompañar las endibias frescas con unos costrones de pan frito untados en ajo.**

Endibias con salsa de queso

Ingredientes (4 personas):

- 4 endibias grandes
- 2 tomates grandes
- 1 vaso de nata líquida
- 100 g de queso rallado
- 50 g de almendras molidas
- 1 huevo
- agua
- sal

Elaboración:

Corta las endibias por la mitad y quítales, si lo deseas, la parte dura del tronco central, que amarga al cocerlas. En una cazuela con agua hirviendo y sal, ponlas a cocer durante 10 ó 15 minutos a fuego suave y tapadas, para que queden tiernas.

Escalda los tomates en agua hirviendo, después refréscalos, pélalos y córtalos en rodajas regulares. Distribúyelas en los platos. Escurre las endibias, colócalas sobre el tomate y mantén los platos calientes.

Haz la salsa calentando la nata hasta que hierva, sazona y retírala del fuego. Cuando esté templada, agrega el queso y las almendras, removiendo bien para que el queso se derrita. Añade el huevo batido y prueba de sal.

Por último, reparte esta salsa sobre las endibias y sirve. •

🌿

Prietas y amargas son el blanco de mis ensaladas.

La escarola

La escarola durante muchos siglos fue considerada planta medicinal, quedando alejada de las dietas cotidianas, al contrario de lo que sucede hoy día, que está aceptada como hortaliza de consumo diario.

Aunque la escarola es amarga por naturaleza, no lo es tanto cuando se cultiva protegida de la luz, ya que de esta forma adquiere un color verde pálido.

También es verdad que las hojas de la escarola, a diferencia de las de lechuga, forman conjuntos abiertos que están durante mayor tiempo expuestos al sol y por eso las hojas más tiernas se oscurecen antes y el cogollo suele estar descolorido.

Es posible conseguir escarolas durante todo el año, pero lo más aconsejable es consumirlas en invierno ya que son mucho más sabrosas.

En la cocina

La escarola tiene un protagonismo principal en las ensaladas de invierno. De hecho, es casi la única forma en la que se consume, porque su amargor combina a la perfección con el aliño clásico. De todos modos, lo habitual es darle además un ligero aroma a ajo, que podemos conseguir frotando la ensaladera con un diente de esta liliácea, o incorporándole al aliño daditos de pan frito previamente frotados con ajo. El resultado será excelente. No lo es menos la combinación de cebolla finamente picada con la escarola,

ya que son dos ingredientes, sobre todo en ensaladas, llamados a estar uno junto al otro.

Además de comerse cruda (en ensaladas generalmente), también se puede comer cocida, preparada del mismo modo que las endibias o las espinacas.

En ensalada van de cine con frutas invernales: naranja, mandarina o granada.

En la compra

Hay distintas variedades de escarola.

La que se cultiva todo el año tiene las hojas largas, de color verde oscuro y con el borde dentado y rizado. Las variedades típicas de verano y de invierno son muy similares: voluminosas, con las hojas verde claro y muy rizadas. Por último, hay una variedad, llamada gigante, que se distingue por la ancha nerviación de sus hojas.

La mayor parte de las escarolas cultivadas en España son de hoja verde y rizada.

Una escarola en condiciones debe ser voluminosa, de mucho vuelo y elegante forma. El cogollo, por contra, muy prieto y blanquecino. Las hojas más externas deben ser verdes, llamativas y de crujiente textura.

🌿 **Las hojas más verdes de la escarola son las más idóneas para cocer, porque entre otras cosas, se rebaja mucho su amargor y quedan aterciopeladas.**

🌿 **El cogollo, por contra, prieto y crujiente es mejor para disfrutarlo en crudo.**

🌿 **Nunca deben dejarse en remojo, ya que sus valores nutritivos prácticamente se anulan.**

🌿 **Mantenerlas poco tiempo en el frigorífico, mejor envueltas con un trapito húmedo para que no se resequen.**

Ensalada de escarola

Ingredientes (4 personas):

• *2 escarolas*
• *50 g de cacahuetes pelados*
• *100 g de almendras crudas y tostadas*
• *1 diente de ajo*

Para la vinagreta:

• *1 tomate pelado*
• *1 huevo cocido*
• *aceite de oliva*
• *vinagre*
• *sal*

Elaboración:

Unta el plato o fuente de servir con el ajo entero. Limpia bien la escarola, pícala y colócala en el centro. Después, añade los cacahuetes y las almendras por encima.

Prepara la vinagreta: pica el tomate y colócalo en un bol, añade el huevo pelado y picado. Después, aliña con sal, aceite y vinagre y mézclalo todo, batiéndolo bien para que ligue.

Por último, añade la vinagreta a la ensalada y sirve. •

Son las hojas rizadas que surgen del frío.

El espárrago

El nombre del espárrago viene del latín «asparagum», de la palabra «asper», que significa áspero, amargo al gusto.

Los espárragos son en realidad brotes inmaduros de una planta de la familia de las esmiliáceas, es decir, no son más que una especie de lirios. Los mejores espárragos son los primeros que se recolectan, tal como advierte la sabiduría popular: «Los de abril para mí,

los de mayo para mi amo y los de junio para ninguno.»

El espárrago es, sin duda, un invitado de excepción en los aperitivos, comidas y reuniones, ya que otorga a los platos un toque de elegancia y buen gusto. Su textura, su delicado sabor y las múltiples formas de presentarlo y aderezarlo lo convierten en el «aristócrata de las hortalizas».

Además, gracias a su bajo contenido energético, se ha convertido en uno de los vegetales más apreciados en las dietas bajas en calorías. Es también un alimento sano y de digestión ligera. Es rico en vitaminas A, B y C, y en minerales (azufre, potasio y fósforo).

En la compra

A la hora de comprar espárragos frescos debemos fijarnos en la punta: bien apretada, con las escamas muy próximas y sin mostrar manchas o signos de humedad. El tallo debe ser rígido, quebradizo, y de corte brillante, desechando los rotos, marchitos, duros o secos.

Aunque los espárragos frescos resisten bien el transporte, lo mejor es consumir los propios de cada zona, ya que empiezan a perder sabor desde el momento en que se cortan.

Las principales variedades de espárrago son los verdes de jardín que se recolectan en Almería y Huelva, los de Navarra (con denominación específica) de excelente calidad, el espárrago violeta, de sabor algo afrutado, y también el espárrago triguero.

Las normas sanitarias y comerciales exigen que los espárragos frescos se presenten limpios de tierra y materias extrañas.

En la cocina

L os espárragos hay que lavarlos bien, para después mondarlos a partir de la punta, raspando las partes leñosas del tallo, pero sin tirarlas, pues, aunque no se comen, tienen sabor y podemos cocerlas con los espárragos para que éstos queden más sabrosos.

El espárrago, como la pasta, debemos cocinarlo «al dente». No es conveniente cocerlo demasiado porque las puntas más tiernas se desharán. Además, una cocción prolongada hace que pierda sus cualidades y gran parte de su delicado sabor. Debe quedar tierno, pero no blandengue.

Envuelto en un paño húmedo, el espárrago fresco puede conservarse durante 3 días como máximo.

Para congelarlos, se lavan, se limpian y recogen en manojos. Después se escaldan 5 minutos en agua hirviendo, dejando reposar luego en esa agua caliente durante 3 ó 4 minutos. Por último, se colocan en bolsas especiales para congelación.

Trucos y consejos

🌿 *Los podemos consumir calientes, tibios o templados, pero nunca debemos servirlos fríos de la nevera, pues en el frigorífico se diluyen gran parte de sus matices gustativos.*

🌿 *Con el agua resultante del hervido de los espárragos se pueden hacer deliciosas sopas.*

🌿 *No es aconsejable preparar los espárragos al baño María por los peligros sanitarios que encierra su conservación (si se hace, debemos esterilizar la olla a presión a 115 °C).*

🌿 *Una buena forma de guardar los espárragos frescos, de forma que conserven intacto su sabor, es metiéndolos en una bolsa negra de plástico cerrada. Así les protegerá de la luz y del aire (sus principales enemigos).*

Quiche de espárragos

Ingredientes (4 personas):
- *250 g de pasta de hojaldre*
- *12 espárragos trigueros*
- *100 g de jamón serrano*
- *4 huevos*
- *3 cucharadas de queso parmesano*
- *300 g de nata líquida*
- *unas rodajas de tomate*
- *agua, sal y pimienta*

Elaboración:
Limpia los espárragos y quítales las partes más duras; cuécelos en agua con sal durante unos 6 minutos (dependerá del grosor de los espárragos). Sácalos y escúrrelos bien. Extiende la pasta de hojaldre y forra con ella un molde, haciendo un reborde. Pincha la masa con un tenedor por varios sitios (esto se hace para evitar que suba al cocerla) y hornéala, calentando previamente el horno, durante 15 minutos aproximadamente, a unos 180 °C (si se levanta, aplástala con ayuda de un trapo limpio). Después, coloca los espárragos encima. Haz una mezcla con los huevos, el parmesano, el jamón picado, la nata, sal y pimienta. Extiéndela por encima de los espárragos y vuelve a hornear todo a unos 180 °C durante 30 minutos aproximadamente. Desmolda la quiche y sírvela muy caliente, adornándola, si lo deseas, con unas rodajas de tomate fritas ligeramente. ●

🌿 ————————————————

Son subterráneos, pero miran al cielo gastronómico.

La espinaca

La espinaca, de origen persa, la trajeron a Europa los árabes. De todas formas, en tiempo de los romanos, ya existían seguramente como una verdura silvestre. Hoy la espinaca es muy popular en nuestros mercados y goza de gran prestigio por las extraordinarias propiedades que posee. De hecho, es una hortaliza muy rica en vitaminas y minerales, por lo que es muy aconsejable en la dieta, sobre todo de ancianos y niños.

Aunque es una verdura típica de invierno, hoy día, gracias a los avances de la agricultura, podemos conseguir espinacas frescas prácticamente durante todo el año.

• La de invierno: de hojas más maduras y fibrosas que las anteriores, por lo que normalmente se consume cocida.

Una gran parte de la cosecha de esta variedad se destina a la congelación industrial.

En la compra

Las espinacas frescas deben tener la hoja lisa y de un verde oscuro intenso y uniforme.

Cuando compremos espinacas, debemos calcular unos 225 gramos por persona, puesto que pierde mucho volumen al cocer.

En el mercado podemos encontrar, principalmente, tres tipos de espinaca:

• La espinaca de primavera: con hojas finas y delicadas, muy aconsejable como ingrediente de ensaladas.

• La de verano y otoño: con hojas más duras que la anterior. Ideal para comer cruda o cocida.

En la cocina

Es conveniente lavarlas bien, cambiando varias veces el agua, siempre después de quitarle los tallos.

A la hora de cocerlas hay que hacerlo a fuego lento con la cacerola sin tapar, removiéndolas de vez en cuando hasta que se ablanden. Hay que tener en cuenta que las espinacas cocidas retienen mucha agua, por eso es conveniente ponerlas en el escurreverduras y apretarlas con una cuchara de palo, sobre todo si se van a saltear o hacer a la crema.

Para congelar las espinacas hay que limpiarlas y lavarlas bien. Acto seguido se escaldan durante unos minutos en agua hirviendo y se enfrían rápidamente sumergiéndolas en agua fría. El siguiente paso es escurrirlas y secarlas con un paño. Finalmente se meten en envases herméticos y se marca la fecha en la que han sido congeladas.

Con espinacas se pueden preparar deliciosas ensaladas templadas, combinándolas con finas lonchas de champiñones, también se pueden cocinar sopas, entradas o sabrosos complementos para carnes y pescados, incluso se pueden preparar en forma de crema dulce.
Hay una forma deliciosa de prepararlas, con pasas y piñones, típica de Cataluña.

Trucos y consejos

Para mantener las vitaminas y el bonito color verde de las espinacas, lo mejor es cocerlas solas en una cacerola después de haberlas lavado. El agua que contienen las hojas será suficiente para que se cuezan. Eso sí, es conveniente echarlas en el agua poco a poco, para evitar que ésta deje de hervir y conseguir que mantengan su característico color verde.

Si al cocer las espinacas se añade un poco de azúcar, su sabor mejorará, además de desaparecer el aroma a tierra que a veces tienen.

El agua de las espinacas es un excelente colorante natural para pastas, puré de patatas y otros alimentos, dejando que éstos cuezan en ella.

Las espinacas también se pueden comer crudas o ligeramente escaldadas y así forman parte de las ensaladas más deliciosas.

Espinacas en salsa

Ingredientes (4 personas):
- 1 kg de espinacas
- agua
- sal

Para la salsa:
- un puñado de piñones
- unas grosellas
- 10 ó 12 cominos
- 2 dientes de ajo
- 2 rebanadas de pan
- 200 g de beicon
- 1 cucharada de harina
- 1 vaso de caldo de verdura o ave
- aceite

Elaboración:
Cuece las espinacas durante 5 minutos aproximadamente en agua con sal. Después, escúrrelas bien y reserva.
Para preparar la salsa fríe en una cazuela con aceite los ajos en láminas, el pan troceado y los piñones. Cuando todo se haya dorado, sácalo y májalo en un mortero. Agrega también las grosellas y los cominos, y sigue majando.
En una sartén, fríe el beicon en tiras; cuando haya tomado color, agrega la mezcla del mortero, una cucharada de harina y rehoga. Después, añade el caldo, mezclándolo todo bien con una cuchara de madera y removiendo hasta que la harina se disuelva y no forme grumos. A continuación, echa las espinacas cocidas y escurridas y guísalo todo junto durante 3 ó 4 minutos. Sirve. Si lo deseas, puedes adornar el plato con algunos piñones enteros. •

Gracias a Popeye la espinaca es el símbolo del hierro. Sin embargo, el perejil tiene un mayor contenido de este mineral.

El guisante y la habita fresca

El guisante es un grano verde, de pequeño tamaño, extraído de una vaina también verde. Cada vaina contiene de 3 a 8 guisantes.

Hoy día podemos encontrar guisantes durante todo el año enlatados o congelados. Pero los guisantes frescos son mucho más sabrosos, aunque sólo los podemos consumir durante los meses de primavera. Lo mismo le sucede a las habas, ya que cuando son frescas y primaverales es cuando se muestran magníficas de calidad y muy tiernas. Tal y como nos lo recuerda el refrán: «Después de febrero, tiempo habero.».

Entre los guisantes los hay secos o también llamados partidos (aunque su consumo es mucho menor), que se remojan siempre antes de su cocción y sirven para preparar sopas y purés o para guarnecer otras preparaciones.

Existen varios centenares de variedades de guisantes, que se utilizan, o bien para el consumo en fresco o bien para la industria conservera.

En la compra

Al comprar guisantes frescos, las vainas deben ser lisas y brillantes, con unos guisantes no demasiado gruesos, tiernos y poco harinosos. En el mercado generalmente encontraremos los guisantes capuchinos o mollares, que son los que se comen con vaina; dentro de este grupo se encuentra el tirabeque, llamado también guisante de nieve o de azúcar, de una variedad temprana con vainas muy tiernas. También hallaremos los guisantes comunes pequeños, que, contrariamente a la creencia popular, no son pequeños porque sean inmaduros, sino porque son de una variedad enana. Estos son los que generalmente aparecen envasados. Dentro de estos diminutos guisantes, son deliciosos los de las huertas guipuzcoanas (no crean que es barrer para casa, pero los de las huertas de Zarautz e Igueldo son de cine), los llamados arvejos azulados de Asturias y los de la huerta palentina, tan bella y desconocida como su catedral.

En la cocina

Los guisantes frescos ganan en gusto y en calidad si se consumen poco después de la cosecha. No son pocos los cocineros/as que aconsejan no guardar

las vainas más de 12 horas, pues el guisante se sigue desarrollando y germina.

Además los guisantes frescos tienen la ventaja de desgranarse fácilmente y no necesitan ser lavados.

El tiempo de cocción es bastante corto para los guisantes recién cosechados y algo más para los cosechados unos días atrás.

Los guisantes en conserva o congelados se preparan del mismo modo que los frescos.

Resultan deliciosos tanto en menestra como estofados solos y, eso sí, acompañados de un huevo escalfado, que al romperse inunda con su fluida yema a los guisantes. Su resultado es incomparable. Por otra parte, siempre es un matrimonio ideal el de las habas con los guisantes.

Trucos y consejos

Un truco infalible para **distinguir la calidad de los guisantes frescos, una vez pelados, es sumergirlos en agua. Los que están buenos se irán al fondo y los malos flotarán en la superficie. Lo mismo ocurre con las judías blancas y otras legumbres secas.**

Los guisantes enlatados pierden **gran parte de su vitamina C, así como su color, por eso se les añade colorante. No ocurre lo mismo con los congelados, que mantienen vitaminas y coloración.**

Al comprar guisante fresco no **deseche las vainas vacías. Consérvalas para hacer un caldo, que añadirá a la menestra o al estofado de guisantes y que da muy buen gusto.**

Ensalada de guisantes y habas

Ingredientes (4 personas):
- 250 g de guisantes cocidos
- 200 g de habas frescas cocidas
- 1/2 escarola
- 1/2 lechuga
- 2 tomates
- 8 filetes de anchoa en aceite
- 2 hojas de albahaca
- aceite de oliva
- vinagre
- sal

Elaboración:
Coloca los tomates cortados en gajos en el borde de una fuente o plato; en el centro, la escarola y la lechuga (bien limpias y picadas) y encima las habas y los guisantes cocidos. Adorna con las anchoas y las hojas de albahaca picadas. Por último, sazona y aliña con aceite de oliva y vinagre. •

¡Qué matrimonio más dulce, entre la haba y el guisante, cuando se casan jóvenes!

La judía verde

Esta verdura es una de las más consumidas y apreciadas de cuantas acuden al mercado.

En realidad, la planta de las judías verdes es anual, de tallo delgado, de tres o cuatro metros de longitud, con hojas grandes y el fruto en vainas aplastadas con varias semillas en forma de riñón.

Con el nombre de judías verdes se denominan en general las judías de vainas comestibles, aunque también es verdad que su color puede oscilar desde el verde al púrpura pasando por el amarillo.

Es entre los meses de mayo a octubre cuando las judías verdes están más jugosas, tiernas y a precios más asequibles, aunque hoy en día los cultivos de invernadero posibilitan su uso y consumo durante todo el año. Además tienen un escaso aporte calórico y un gran contenido en agua, sin olvidar que son muy ricas en minerales, vitaminas y fibra.

este proceso altera tanto su sabor como su textura. Por eso, además de tiernas, cuanto más frescas mejor.

Hay que tener en cuenta que la congelación detiene este proceso, razón por la cual se prestan muy bien a este tratamiento que conserva su sabor dulce y su consistencia tierna.

Dentro de las judías verdes existen dos variedades, las de vaina ancha y aplastada y las de vaina estrecha y cilíndrica (que llamamos francesa). Las primeras se suelen preparar solas o en menestras y las últimas son más propias de guarniciones. También podemos encontrar las llamadas judías de cera o mantecas, que son de color amarillo suave, carnosas y tiernas, y la judía enana o fríjol, que puede tener muchas formas y tamaños. Estas últimas son la base principal de la industria conservera y congeladora, debido a que se pueden recolectar por medio de máquinas.

En la compra

Si están frescas, las judías verdes deben ser jugosas, quebradizas y de buen color, no deben tener manchitas, ni estar demasiado maduras o duras. Es muy importante la frescura, ya que las judías, desde el momento en que se cosechan, empiezan a convertir sus azúcares en almidón. La consecuencia es que

En la cocina

Algunas variedades, antes de cocinarlas, hay que lavarlas y quitarles las puntas y, a veces, los hilos. Otras veces, si se hierven durante 3 minutos en agua, quedarán más verdes y los hilos se desprenderán mejor.

A las habichuelas sólo hay que cortarles las puntas a la hora de prepararlas.

Y por último, para no recocerlas, hay que echarles agua hirviendo bien salada y dejarlas hasta que están tiernas y además crujientes.

Para acostumbrar a los niños a comerlas, suele ser muy indicado acompañarlas con una salsa de tomate, que normalmente les encanta. También están muy buenas simplemente cocidas y aliñadas con una rica vinagreta.

Y qué cosa más rica es un arroz caldoso con verduras, en el que no pueden faltar estas vainas que le van de perlas al arroz.

Trucos y consejos

Después de cocer las judías verdes, no tires el caldo de su cocción. Se puede utilizar para hacer una reconfortante sopa con el añadido únicamente de un poco aceite, pan tostado y el sazonamiento a gusto.

La cocción debe hacerse siempre al descubierto para que conserven su bello color verde, que también se puede conseguir añadiendo una pizca de bicarbonato.

Judías verdes a la mantequilla

Ingredientes (4 personas):
- 1 kg de judías verdes
- 150 g de mantequilla
- 1 cebolleta
- 3/4 l de puré de patata
- aceite
- agua
- sal

Elaboración:
Limpia las judías y córtalas en trozos. Ponlas a cocer en agua hirviendo con sal, un chorrito de aceite y la cebolleta entera durante 20 ó 25 minutos. Una vez cocidas, escúrrelas y resérvalas junto con la cebolleta.

Derrite la mantequilla en una sartén sin que llegue a hacer espuma. Saltea las judías en ella; prueba y rectifica de sal si fuese necesario. Coloca la cebolleta en el centro de una fuente grande y las judías alrededor; por último, el puré de patatas bien caliente en el borde.

Puedes añadir al puré un chorrito de aceite crudo. Al servir, corta la cebolleta en cuatro trozos. ●

Verde, como el trigo verde.

La lechuga

La lechuga se cultiva en todo el mundo, ocupando un lugar de preferencia entre las verduras de hoja en Europa central y occidental. Las cultivadas al aire libre llegan a pesar 500 g o más, mientras que las de invernadero se encuentran en el mercado a partir de los 100 gramos.

De las ensaladas, la lechuga es el ingrediente principal, hasta el punto de que en muchos países se la denomina directamente «ensalada».

Casi siempre acompañada de algo de cebolla y coloreada con tomate, es la versión de ensalada más extendida en nuestro país.

Hay muchos tipos de variedades de lechuga, todas ellas muy ricas en agua y poco energéticas. Contienen además numerosos minerales y vitaminas. Como todas las hortalizas, la lechuga es fuente de salud para nuestro organismo.

En la cocina

Se conserva muy bien en el frigorífico dentro de una bolsa de plástico bien cerrada. Pero hay que vigilar bien la ubicación que se le da, ya que la lechuga es muy sensible al etileno, gas que se forma en la fruta durante el proceso de maduración y que ésta sigue desprendiendo durante el almacenamiento. Por eso, debemos evitar guardar la lechuga junto a la fruta, pues el etileno provoca manchas parduscas en los nervios de las hojas y limita sus posibilidades de conservación.

No hay que olvidar tampoco que es muy conveniente, después de lavarla, secarla bien con un paño limpio para que la humedad no impida absorber el aliño de las ensaladas.

En la compra

Podemos encontrar lechuga durante todo el año en el mercado.

Las variedades más comunes son: la romana, también llamada oreja de mula, de hojas alargadas y toscas; la arrepollada, de cabeza sólida y prieta, y la rizada. Además de estas, hoy en día se nos ofrecen en algunos mercados variedades menos frecuentes, de delicioso sabor y muy decorativas en la mesa, como, por ejemplo: la lechuga de pico, la de hoja de roble, la de cogollo con forma de col (verde por fuera y con el cogollo de color amarillo por dentro), de las cuales las más famosas son los cogollos de Tudela, en Navarra, y las lechugas grises de Galicia.

Las variedades de lechuga de color rojizo cada vez tienen mayor aceptación entre los consumidores, ya que son más delicadas y sensibles que las verdes y con un atractivo amargor.

Trucos y consejos

🌿 *Para hacer revivir la lechuga, sumergirla un ratito en agua tibia con sal; de esta forma quedará más tiesa y apetitosa.*

🌿 *Las hortalizas de consumo crudo deben lavarse con agua y, a ser posible, con unas gotas de lejía (a remojo y aclarar muy bien). Así las limpiamos de restos de tierra, parásitos y microbios, sin olvidarnos de los restos de pesticidas y otros productos químicos utilizados en su cultivo.*

🌿 *Si la lechuga se va a cocinar también conviene lavarla, aunque en este caso no es necesario añadirle lejía.*

🌿 *Es importante dejar el aliño de las ensaladas para el final, pues no hay lechuga que resista la espera en vinagre, y no hay nada tan triste como una ensaladera llenas de hojas de lechuga mustias y alicaídas.*

Cogollos de lechuga con tomates

Ingredientes (4 personas):

- 4 cogollos
- 4 tomates
- 2 huevos duros
- 12 aceitunas rellenas
- 100 g de atún
- 1 cebolleta
- sal

Para el aliño:
- 4 cucharadas de mahonesa
- 1 cucharadita de mostaza

Elaboración:
Lava los tomates, quítales el corazón y córtalos en rodajas. Colócalas en el centro de una fuente.

Parte los cogollos en cuatro trozos y colócalos en el borde de la fuente; encima de los tomates, sitúa los huevos cocidos y partidos en rodajas y, a continuación, el atún. Reparte por encima las aceitunas y la cebolleta cortada en aros.

Sala al gusto y aliña con la mezcla de mahonesa y mostaza. Si prefieres, puedes sustituir este aliño por aceite y vinagre. •

🌿 _____

Por algo se dice:
«Fresco como una lechuga.»
Todo un refresco veraniego.

El pimiento

*El pimiento es una planta originaria de América
y tanto en México como en Perú y en América Central
ya se consumía hace miles de años. En todos estos países
los pimientos se tenían en alta estima por sus cualidades
culinarias, pero los picantes eran especialmente apreciados
por sus virtudes medicinales.*

*Los españoles y portugueses dieron a conocer rápidamente
el pimiento picante en el «Viejo Mundo» y, aunque
en Europa no se mostraron muy
entusiasmados, los africanos, árabes
y asiáticos se prendaron de él.*

*Los pimientos se introdujeron
en España y pasaron al resto de Europa
en la primera mitad del siglo XVI.*

*Actualmente, en nuestro país, el pimiento se ofrece al
consumo durante todo el año, propiciado por los cultivos bajo
plástico de las islas Canarias, Almería y Málaga, que ofrecen
sus cosechas durante el invierno.*

manera de hacerlo es untando los
pimientos con un poco de aceite y sal y
luego meterlos en el horno a temperatura
media durante 20 ó 25 minutos.

De todas formas, cada tipo
de pimiento exige distintas fórmulas
de cocinado. Los piquillos, solos
o rellenos de mil y una cosas: bacalao,
chipirones, mariscos o carnes variadísimas.

Los morrones, asados
en entero, rellenos de
codornices o de arroz
y carne picada,
como son los bajoques
farcides, receta
tradicional valenciana.

En la cocina

*P*ara almacenar
los pimientos se pueden
refrigerar, pero nunca
por debajo de los 7° C.

En el frigorífico puede aguantar,
pero no más de 1 ó 2 semanas.
Con el tiempo empezará a perder
parte de sus vitaminas.

A la hora de cocinarlos, y en concreto
si tienes la intención de asarlos, la mejor

En la compra

*E*s fundamental
para que unos pimientos
sean buenos que tengan
la piel lisa y brillante, sin golpes
ni pochaduras.

En todo el mundo se cultivan
muchísimas variedades de pimiento,
pero entre las diferentes especies que se
comercializan los más comunes son los
pimientos dulces, de tamaño grande y que
pueden ser de color verde, rojo o amarillo.
Entre ellos también los hay picantes,
pero los que normalmente encontraremos
en las tiendas son los suaves.

Tal vez el más conocido o usado
de ellos sea el colorado común o morrón.

Su difusión en la cocina está vinculada a la introducción de los platos mediterráneos en el repertorio clásico.

En temporada todas las regiones peninsulares proporcionan cantidades importantes de pimiento de alta calidad, destacando entre ellas Toledo, Valencia, Murcia, Alicante, Granada, Zaragoza, Cádiz, Logroño y, por supuesto, los pimientos del piquillo de Lodosa (Navarra), que puede decirse que conservan la primacía ante todos los demás.

Trucos y consejos

No es ninguna tontería utilizar **el pimiento verde usualmente en crudo (por ejemplo, en ensaladas), ya que es la forma en la que son especialmente ricos en vitamina C y en sales minerales.**

Para los estómagos delicados **es conveniente que los pimientos rojos, morrones, de pico o piquillos se cocinen largamente y de forma muy pausada; seguro que así no «repetirán».**

En la combinación con elementos **cárnicos o de pescado en sus rellenos, debe tenerse en cuenta el poderoso gusto del pimiento, para evitar que éste sobresalga sobre el producto que queremos destacar.**

Lasaña de pimientos verdes y rojos

Ingredientes (4 personas):
- 4 pimientos rojos asados y pelados
- 4 pimientos verdes asados y pelados
- 300 g de jamón serrano en lonchas
- aceite de oliva
- sal gorda

Elaboración:
Coloca en una fuente una capa de pimiento rojo, a continuación, una de jamón serrano, otra de pimiento verde y otra de jamón.
Decora con tiras de pimiento rojo y verde.
Por último, aliña con un chorro de aceite de oliva sobre el jamón y sal gorda sobre el pimiento.

Los pimientos rojos son el coral de los jardines y la alegría de la cocina.

El puerro

*El puerro es una verdura de la familia de la cebolla
y del ajo, aunque su sabor es mucho más delicado.
La parte blanca y tierna es la más apreciada
y se denomina blanco de puerro. Las hojas verdes suelen
cortarse por su base en el punto en donde se separan
y se utilizan en sopas principalmente.*

*Aunque no se conoce el origen exacto del puerro, éste desde
luego es muy antiguo y crece espontáneamente en toda
la región mediterránea. Hay un dato curioso, y es que los
jeroglíficos egipcios, de 1.500 a 2.000 años antes de Cristo,
ya indicaban cómo eran consumidos por los esclavos
que trabajaban en las construcciones de la época.*

*El puerro podemos encontrarlo en nuestros mercados
durante todo el año, pero su mejor momento es desde el mes
de octubre al de abril. De hecho, podemos encontrar
variedades de puerros de verano, otoño y de invierno,
que se diferencian en la longitud y consistencia del
tallo y, en menor medida, en la intensidad de su sabor.*

En la compra

Cuando vayas a comprar puerros fíjate que estén frescos, sanos y limpios, con buen color y olor. También que no estén dañados por parásitos o insectos y que no presenten zonas blandas, algodonosas o mohosas. Conviene así mismo, que estén rectos y no sean demasiado gordos.

Además, cuando veáis puerros con buena parte de las hojas verdes cortadas hay que sospechar no sólo que están viejos, sino lo bastante crecidos como para haber formado un tallo floral, con lo cual sólo podremos utilizar unas pocas hojas. La raíz, no olvidarlo, debe ser blanca y blanda.

Por último, debemos evitar comprar puerros que tengan restos de tierra, ya que puede ser una fuente de contaminación que además puede extenderse a otros alimentos de la casa.

En la cocina

Los puerros son indispensables para muchas preparaciones de la alta cocina, sobre todo utilizados como condimento.

Ni que decir tiene que son la base de gran cantidad de caldos y fondos de cocina, por ese punto gustoso que dan. Por sí mismos han dado origen, al parecer en Estados Unidos, a esa gran crema veraniega que es la «vichyssoise», maravillosa cuando se hace de verdad con buenos puerros y con mucho mimo.

Además es una verdura excelente cuando se usa como guarnición, ya sea cocido lentamente en mantequilla, estofado en vino tinto, con salsa de tomate o simplemente cocidos con vinagreta.

La mayor desventaja del puerro es lo fastidioso a la hora de limpiar, sobre todo

cuando hay que cortarlo en rodajas. En este caso, lo mejor es aflojar suavemente las hojas a la hora de limpiarlo, para que el agua llegue bien al interior y se quite toda la tierra.

Trucos y consejos

🌿 **Para blanquear los puerros, antes de su preparación, se introducen en agua hirviendo con sal.**

🌿 **Si no los vamos a cocinar inmediatamente, hay que conservarlos en el frigorífico, pero no más de 4 ó 5 días y siempre evitando la humedad.**

🌿 **Para limpiar bien los puerros hay que hacerles varios cortes con la punta de un cuchillo y enjuagarlos hasta que suelten toda la tierra que tienen en las hojas internas. Si están muy sucios lo mejor es cortarlos por la mitad a lo largo y pasarlos por agua hasta que estén bien limpios.**

Porrusalda

Ingredientes (4 personas):
- 4 puerros
- 5 patatas
- 2 zanahorias
- 1 cebolla
- 4 dientes de ajo
- aceite
- agua
- sal

Elaboración:
Pocha en una cazuela con aceite la cebolla y la zanahoria, ambas limpias y bien picadas. Añade los ajos enteros y pelados y los puerros limpios y cortados en aros. Después, agrega las patatas troceadas y rehógalas también. Sazona. A continuación, vierte el agua suficiente para cubrir bien las verduras y déjalo cocer durante 30 minutos aproximadamente. Por último, pon a punto de sal y sirve. •

🌿 ——————————————————————

Se les ha llamado el espárrago de los pobres, pero ¡qué va!, son de ricos...

Las setas y los hongos

El ser humano utiliza las propiedades de las setas prácticamente desde la prehistoria. Son además algo genuino que nos aporta la tierra, ya que por muchos intentos que se han realizado de cultivarlas con técnicas de laboratorio, los resultados nunca han sido iguales, ni su calidad ni su consistencia han podido equipararse a las setas silvestres que cada año nos aporta la naturaleza.

La mayor parte de las setas nacen a finales del verano o en otoño, cuando los bosques vuelven a recuperar su humedad, pero hay otras que nacen incluso antes de que llegue la primavera. La más representativa de estas setas en el País Vasco es el «perretxiko», famoso por su delicado aroma y también por su elevado precio.

A la hora de recoger setas del monte no hay que elegir nunca ejemplares demasiado jóvenes o demasiado viejos, dejando siempre algunos totalmente desarrollados para así contribuir a la conservación y diseminación de la especie. Si las setas que se han cogido son con seguridad buenas, se tienen que limpiar de residuos de tierra y de las partes extrañas que se les hayan adherido en el mismo lugar de recogida, porque esta es otra de las formas de favorecer la propagación de la especie.

En la compra

Nuestro país es especialmente rico en setas comestibles. De las 3.000 especies que podemos encontrar, unas 1.000 son comestibles, otras 60 son muy venenosas o dudosas, y el resto tiene una carne comestible pero de sabor desagradable.

Entre las principales variedades, destacadas por su buen gusto, nos encontramos con la palometa, también llamada gibelurdiña o seta del cura, que surge en los montes de hayas desde comienzos de la primavera hasta comienzos del otoño.

La aromática seta de abril o de Orduña, tan querida en el País Vasco y más cococida por el nombre de seta de San Jorge o *perretxiko,* que nace en la primavera en la hierba de los prados o entre brezos y espinos. En el verano y otoño, entre los cardos, surge otra seta que coge el nombre de esta verdura.

Por no hablar del níscalo o robellón, tan querido en Cataluña, que se encuentra bajo los pinos a final del otoño. Y qué no decir del hongo común que nace entre abetos y el hongo negro que surge entre bosques de pino y de roble de verano a principios del otoño y, por supuesto, la más escasa de todas, la amanita de los césares, de carne blanca y de olor agradable, no sólo una de las amanitas comestibles sino riquísima.

Sin olvidar los champiñones, que salvajes o cultivados encontramos a lo largo del año.

C
ada tipo de seta admite preparaciones bien diferentes. El sabor neutro del champiñón va un poco con todo, no hace ascos al ajo, ni a productos derivados del cerdo como son la tocineta o el jamón. Además es una guarnición que todos los platos agradecen. Hay setas, sin embargo, que, tal vez, como mejor estén sea solas, con pocos añadidos, tal cual. Así, la gibelurdiña o seta del cura, como mejor queda es asada o simplemente a la plancha. La seta de cardo resulta ideal acompañando guisos de caza. Hablar del *perretxiko* o seta de Orduña, con ese aroma a harina fresca, va muy asociado a jugosos revueltos, o a los caracoles, como en la célebre cuchipanda de San Prudencio en Vitoria, o incluso crudo en ensalada para preservar su aroma.

La morilla o colmenilla nunca debe comerse cruda y parece que su preparación ideal corresponde con su propia forma, es decir, rellenas.

Los hongos resultan sensacionales simplemente salteados, o conservando sus sombreros enteros hechos al horno.

También hay setas que, por sus características, admiten bien la desecación, como es el caso de la trompeta de los muertos o las enderuelas, con los que se hacen magníficas sopas y cremas.

Las setas son un trozo que se desprende de la naturaleza.

Setas gratinadas

Ingredientes (4 personas):
- 1,5 kg de setas
- 1 cebolleta
- 2 dientes de ajo
- 1/2 l de bechamel ligera
- perejil picado
- aceite
- sal

Elaboración:
Pocha la cebolleta y el ajo, picados finos, en una cazuela ancha con aceite. Añade las setas bien limpias y troceadas. Sazona y deja que cuezan a fuego suave durante 10 minutos aproximadamente. Espolvorea con perejil picado y sírvelo en una fuente o platos, escurriendo el aceite. Napa con la salsa bechamel, sin cubrir del todo, y gratina en el horno durante 2 minutos. Si quieres, puedes servir el plato sin gratinar. ●

Trucos y consejos

Existen muchas leyendas sobre métodos infalibles para detectar la presencia del veneno en las setas. Lo cierto es que ningún método resulta eficaz, tan sólo el profundo conocimiento e información adecuada sobre las mismas.

No es cierto, por tanto, que las setas venenosas se ennegrezcan según se cortan, ni que al hervir desaparezcan las sustancias tóxicas.

Tampoco hay que fiarse del color (hay setas de preciosas tonalidades que son mortales), ni tampoco del olor o el buen gusto. No es síntoma de nada.

Ni se le ocurra hacer tampoco lo de la moneda de plata, es decir, frotar la seta y si no se ennegrece la plata es que es buena. Es un cuento chino.

El tomate

El tomate es una de las «joyas» originarias del continente americano. Llegó a España en el siglo XVI y al principio costó que se incorporara definitivamente a la dieta del «Viejo Mundo». Su triunfo vino con el nacimiento de la salsa de tomate, que apareció hacia el siglo XVIII, más o menos en la misma época en la que era incorporado al famoso gazpacho andaluz.

El tomate es un verdadero comodín en la cocina. Resulta delicioso crudo, con un simple aderezo de sal y aceite de oliva, en ensalada, relleno, en salsa acompañando a pastas, arroces, carnes, huevos y un sinfín de preparaciones.

La mayoría de las regiones españolas se autoabastecen del fruto, sobre todo en primavera y verano.

Los tomates que encontramos en los mercados suelen ser de tamaño mediano, redondos y de color uniformemente rojo, como los canarios. Sin embargo, los tomates mediterráneos son mayores y su color no es uniforme. Estos últimos son deliciosos para ensaladas y para rellenar.

Los tomates cereza se pueden usar enteros en ensaladas. Los sabrosos tomates pera, con relativamente pocas semillas y pulpa más bien seca, son los más adecuados para salsas y purés.

También hay variedades para rellenar, con el interior prácticamente hueco. En definitiva, una amplia gama donde elegir.

En la cocina

Tengan en cuenta para empezar, que los tomates tienden a perder aroma si se conservan en la nevera, por lo que es preferible guardarlos en un cuenco destapado en un lugar fresco y oscuro, de esta forma se mantendrán en condiciones durante 3 ó 4 días.

Para las salsas se utilizan los tomates de pera porque son más fáciles de pelar y además no tienen pepitas.

Pero si a la hora de cocinar ha utilizado tomate de lata y ha sobrado un poco, puede conservarlo fácilmente pasándolo a un recipiente de cerámica, cubriéndolo con una fina capa de aceite, y guardándolo después en el frigorífico.

Por otro lado, si lo que quiere es congelar el tomate, la mejor manera de hacerlo es hecho salsa, ya que de esta forma sólo tendrá que meterlo en una tartera de plástico. Sin embargo, para congelar tomate fresco habrá que tener cuidado de que sea muy fresco y esté limpio. No hay que olvidarse que antes de congelarlos hay que escaldarlos de 2 a 4 minutos.

A la hora de descongelarlos tenga en cuenta que los tomates lo hacen a temperatura ambiente, no en agua hirviendo como sucede con otras hortalizas.

En la compra

Lo primero a la hora de escoger tomates es evitar comprar los que estén ennegrecidos en torno al tallo.

También es importante fijarse en el color del tomate dependiendo de su función en la cocina: si los vais a utilizar inmediatamente es mejor elegir los tomates de color rojo brillante, mientras que los de color rosado pálido sirven para darles uso un par de días después de comprados.

Si los elegís maduros, pero todavía de color verde, en poco tiempo se pondrán rojos colocándolos en un cajón junto a un tomate ya rojo. Los tomates verdes siempre hay que dejarlos madurar; es importante hacerlo, pues, en caso contrario, resultarán indigestos.

Es indudable que, además de los tomates frescos, son esenciales las conservas de tomate para disponer en todo momento de ese fruto. Lo más usual es la conserva industrial, que es el fruto natural maduro escaldado y pelado entero, enlatado y sometido a altas temperaturas.

Sopa fría de tomate a las finas hierbas

Ingredientes (4 personas):

- 1 kg de tomates maduros
- 2 cebolletas
- finas hierbas: orégano, albahaca, hierbabuena, etc.
- un chorro de nata líquida
- rebanadas de pan frito
- aceite
- sal

Para 1l de caldo:

- 3 puerros
- 1 cebolla
- 2 zanahorias
- 1 diente de ajo
- 1,5 l de agua
- sal

Elaboración:

Prepara el caldo cociendo sus ingredientes a fuego suave hasta que las verduras estén tiernas. Cuélalo y reserva.

Rehoga las cebolletas con un poco de aceite, añade los tomates troceados, sazona y póchalo todo. Agrega el caldo de verdura hasta cubrir y las finas hierbas, dejándolo durante 30 minutos más o menos. Después, pásalo por un colador, o un chino si quieres que te quede más fino, y añade la nata. Por último, déjalo enfriar en la nevera. En el momento de servir, acompáñalo con las rebanadas de pan fritas. ∎

Trucos y consejos

❧ *Para hacer madurar los tomates verdes, los puedes envolver en papel* **y guardarlos en un sitio fresco durante un par de días.**

❧ *Para pelar los tomates con facilidad sólo hay que pasar por toda la superficie* **la punta de un cuchillo para arrugar un poco la piel, que luego se quitará con facilidad.**

❧ *Para quitarle la acidez a la salsa de tomate basta con echarle un poco* **de azúcar durante su elaboración.**

❧ *Para que la salsa casera de tomate quede especialmente rica se le puede añadir,* **una vez terminada, una cucharada de puré de zanahoria. También puedes añadirle un par de zanahorias cuando empieces a preparar la salsa y pasarlo luego por el pasapurés.**

La despensa

PARA MÍ LA DESPENSA ES COMO el perejil, indispensable en la cocina. En ella y en el frigorífico almacenamos y guardamos todos los alimentos necesarios para elaborar esos platos ricos y con fundamento de cada día.

Antiguamente, la despensa se ubicaba en una habitación de la casa que, por lo general, se encontraba cerca de la cocina; hoy día, no todos disponemos de espacio para convertir una de nuestras habitaciones en despensa, por lo que es más frecuente utilizar para este fin grandes armarios llenos de estanterías y compartimentos adecuados para guardar las provisiones. Además, también disponemos del frigorífico, el «último grito» en despensas.

Pero sea habitación o armario, la despensa debe cumplir tres requisitos indispensables: que no tenga humedad, esté bien aireada, y su temperatura sea fresquita. Estas características ayudarán a que los alimentos perecederos que guardamos en ella se conserven durante más tiempo en perfectas condiciones.

A continuación os voy a dar una relación de alimentos y productos que no deben faltar nunca en nuestra socorrida despensa, y también unos consejos de cómo almacenarlos y conservarlos correctamente.

La despensa

Zanahorias

❧

Son fundamentales en la elaboración de sopas, guisos, guarniciones, purés, salsas, menestras, y otros muchos platos.

Recuerda que si las compras en bolsa de plástico, debes sacarlas nada más llegar a casa, pues, en caso contrario, corres el riesgo de que se estropeen. Puedes guardarlas en la despensa o en el frigorífico, dentro del compartimento para verduras. Consúmelas lo antes posible.

Cebollas y cebolletas

❧

La cebolla participa en multitud de guisos, en ensaladas y en fritadas con tomate y pimientos; también resulta imprescindible en la elaboración de salsas para carnes, como acompañamiento de pescados al horno y en multitud de elaboraciones más. Como protagonista, esta hortaliza está presente en platos como la sopa de cebolla, la tarta de cebolla y las cebollas rellenas. Por tanto, que nunca falte en vuestra despensa.

Una buena cebolla debe tener la piel firme; si es blanca, aparecerá muy crujiente, mientras que las amarillas y rojas la mostrarán seca y quebradiza. No debe tener zonas blandas, golpeadas o mohosas.

Las cebolletas se emplean normalmente frescas y finamente cortadas para ensaladas, tortillas y también como ingrediente de numerosas salsas.

En la despensa podéis guardar las cebollas y cebolletas colgadas dentro de una bolsa de red.

Ajos

❧

Ingrediente indiscutible de la cocina mediterránea, no puede faltar en la despensa. Sin él, muchos de nuestros platos no serían tan aromáticos y sabrosos.

Los ajos deben estar duros y apretados y ser pesados para su tamaño. Los que pesan poco pueden que estén ya secos. Los que tengan las cabezas mohosas y blandas, a la basura.

Si están en ristras, podemos colgarlos en la despensa. Las cabezas de ajo blancas se conservan 6 meses, y las rojas 1 año.

Patatas

❖

Son tantas y variadas las aplicaciones de la patata en la cocina que sería imposible mencionar todos los platos en los que aparece como ingrediente. Además, la patata es el alimento que gusta a todos y del que nadie se cansa.

Al comprarlas, debemos elegir las que estén firmes y secas, con la piel entera, sin brotes ni manchas. Es normal que las patatas tengan la superficie irregular y con algunos «ojos»; esto no es síntoma de mal estado.

La luz hace que en las patatas aparezca una sustancia (la solanina) que las vuelve de color verde, les da un sabor amargo y las convierte en indigestas. Por eso tenemos que guardarlas siempre en un lugar oscuro, seco y aireado, que impida que germinen y evite la aparición de la sustancia tóxica. Nunca debemos guardarlas en el frigorífico (excepto si se trata de patatas nuevas). Tampoco resulta aconsejable almacenarlas junto a las cebollas, porque éstas precipitan su deterioro.

Las patatas nuevas no se conservan tan bien como las viejas, por lo que es mejor comprarlas en pequeñas cantidades y consumirlas, como mucho, a los 4 ó 5 días.

Hierbas aromáticas y especias

❖

Las hierbas aromáticas y las especias dan a los platos un aroma y sabor especial. Pero, ¡ojo!, hay que usarlas en su justa medida, pues, aunque realzan el aroma de los platos, si las empleamos en demasía pueden anular los sabores.

Tanto hierbas como especias, cuando están secas, conviene guardarlas en tarros herméticamente cerrados, opacos y etiquetados, resguardados del sol y de la luz. Si son de cristal, mantenerlos siempre a la sombra.

Las hierbas aromáticas frescas es mejor conservarlas (no durante muchos días) en un lugar claro dentro de un recipiente con agua.

Tomillo

Esta hierba aromática acompaña bien los mariscos, carnes, aves de corral y caza. También se emplea para aderezos de marinadas y vinagres aromáticos y va muy bien en las ensaladas de tomate.

El tomillo da a los platos un aroma muy marcado, por lo que deberemos utilizarlo con moderación.

Romero

Se usa mucho para condimentar la carne de cordero, ternera y cerdo. Además, interviene en algunas salsas de tomate y en pescados al horno.

También se usa en la elaboracion de salchichas, patés y rellenos de aves. Su sabor es muy picante y su aroma intenso, por lo que hay que ser un poco tacaño al utilizarlo.

Orégano

Hierba aromática muy relacionada con la cocina italiana, pero que también interviene en otras muchas preparaciones de la cocina de otros países, sobre todo los mediterráneos. Aromatiza sopas, adobos, salsas de tomate, cordero, pescados al horno, legumbres y, por supuesto, pizzas.

Antiguamente se
usaban sus hojas
para aromatizar
postres de
leche, ya que
la infusión de
laurel con leche
hervida da a ésta
un sabor muy rico.
Evita guardar las
hojas de laurel durante más de 1 año,
pues pasado este tiempo habrán perdido
mucho de su sabor, aroma y color.

Azafrán

Esta especia se presenta en unos
delgados filamentos, a modo de
hebras, y en polvo. Se utiliza
en la paella, la zarzuela, la bullabesa,
el *risotto* y otros platos típicos
de la cocina mediterránea. Existen
sucedáneos en el mercado,
pero yo os aconsejo que tengáis en
casa el genuino que, aunque más caro,
durará mucho tiempo, ya que para dar
aroma y color sólo necesitaréis
un poquito.

Perejil

El perejil es la más útil de las hierbas
aromáticas; su empleo en la cocina
es muy variado, combinando
perfectamente con la mayoría de
nuestros platos, ya se trate de sopas,
carnes, pescados, arroces, salsas frías
o calientes. Además, tiene la ventaja
de que lo podemos conseguir fresco
durante todo el año.

Laurel

El laurel interviene en la elaboración de
caldos de pescado, en marinadas, estofados, encurtidos, adobos y salsas.

Pimienta

❦

La especia de la pimienta da un toque alegre a algunas preparaciones, como salsas, patés, pastas y muchas otras. Podemos encontrarla negra, blanca o verde; el elegir cuál utilizar depende del grado de picor que nos guste y de la preparación que queramos elaborar: la negra es la más picante y la verde la más suave.

Debemos tener en cuenta que la pimienta molida no tarda en perder su sabor y aroma, por eso es mejor comprarla en grano; éste debe ser de un color regular, aromático, libre de polvo y suficientemente duro como para no dejarse aplastar entre los dedos. Además, el sabor y el aroma de la pimienta recién molida es mucho mejor que el de la que se compra en polvo.

Pimentón

❦

El pimentón, especia típicamente española, da a nuestros platos ese bonito color rojo y el sabor peculiar de las recetas de antaño. Se usa en sopas, guisos, verduras y refritos, además de ser un ingrediente indispensable en la elaboración de chorizos y otros embutidos.

En el mercado podemos encontrar dos clases de pimentón, dulce y picante.

Una precaución muy importante, que no hay que olvidar antes de comprar y utilizar pimentón, es que ha de ser razonablemente fresco, ya que, cuando envejece, cambia su sabor y su color se vuelve amarronado, dando a los platos un aroma diferente y un aspecto mucho más feo.

Canela

❦

Esta especia se utiliza mucho en repostería para aromatizar leche, arroz con leche, crema al caramelo... y también en la elaboración de platos salados de arroz, pescado, pollo o jamón, dándoles un punto exótico.

En el mercado podemos encontrar canela en polvo y en rama o corteza. La canela en polvo es la que antes se estropea, por lo que es aconsejable comprarla en rama e ir moliéndola en pequeñas cantidades a medida que la necesitemos.

Sal

❦

La sal realza el sabor de los alimentos, por eso acompaña a todos nuestros platos «salados». Pero, además, actúa como conservante, extrae los jugos amargos de algunas verduras (berenjena y pepino), endurece las verduras conservadas en vinagre (pepinillos, guindillas, cebolletas...) y evita que se ablanden en el frasco.

Podemos elegir entre diferentes tipos de sales para condimentar nuestras preparaciones: sal marina, común, yodada, gris, granulada; cada una tiene sus peculiaridades que la hacen más idónea en unas preparaciones que en otras.

Leche y derivados lácteos

❦

La leche no sólo es una bebida, sino también uno de los alimentos más completos. Al natural, como ingrediente de salsas, purés, cremas y postres, o transformada en cualquiera de sus derivados —quesos, cuajadas, yogures—, la leche siempre es un placer para el paladar y para nuestra salud.

La que normalmente encontramos en nuestros mercados está higienizada, lo que garantiza la salubridad de su consumo, además de su conservación. Dependiendo del tipo de higienización, la leche se conservará más o menos tiempo. Según esto, se pueden distinguir los siguientes tipos de leche:

• Esterilizada: se conserva a temperatura ambiente, antes de ser abierta, durante varios días, pero después hay que guardarla en el frigorífico. Allí se conserva durante 2 ó 3 días como máximo.

• U.H.T.: dura varias semanas a temperatura ambiente, siempre que no se haya abierto el recipiente que la contenga.

• Pasteurizada o leche del día: debe conservarse siempre refrigerada; aguanta 2 ó 3 días sin abrir y 2 días abierta.

La leche natural o cruda está sin higienizar y su consumo no es recomendable, ya que puede contener sustancias productoras de enfermedades. En algunos casos se comercializan leches crudas que son más seguras, ya que se han sometido a rigurosos controles. Aun así, si vamos a consumir este tipo de leche siempre debemos hervirla antes.

Por otra parte, los quesos podemos conservarlos tanto en la despensa como en el frigorífico (en la zona menos fría), a excepción de los quesos frescos que, como los yogures y las cuajadas, siempre deben refrigerarse.

Huevos

❧

Los huevos se prestan a incontables elaboraciones: pasados por agua, en tortilla, huevos duros, revueltos, fritos, escalfados... Son también ingrediente de múltiples salsas, como la mahonesa, bearnesa, holandesa o tártara, por citar las más conocidas. Y no podemos olvidarnos del protagonismo de los huevos en la repostería, interviniendo en la elaboración de crêpes, flanes, natillas, helados, crema pastelera y otros muchos.

El huevo se ha de guardar en un lugar fresco, en posición vertical y con el extremo redondo hacia arriba para evitar que la yema descanse sobre la bolsa de aire y se pueda contaminar. Hay que evitar someterlo a cambios bruscos de temperatura. Guardado a temperatura ambiente envejece antes. Además, debemos tener en cuenta a la hora de elegir el sitio donde guardamos los huevos, que su cáscara es porosa y, por tanto, absorbe los olores.

Conservas

❧

Las conservas nos permiten tener siempre a mano los alimentos fuera de su temporada. Además, son muy socorridas cuando surge algún

imprevisto, o no tenemos tiempo para preparar platos muy laboriosos.

Y es que ¡qué fácil y cómodo es abrir una lata! Algunos de los productos en conserva más habituales en la despensa son: atún, sardinas, anchoas, mejillones, algunas verduras y hortalizas (espinacas, acelgas, menestras, pimientos, espárragos...) y aceitunas.

Su conservación no tiene ningún secreto, pero debemos tener en cuenta algunos aspectos:

• Desechar las latas que por fuera no estén en perfectas condiciones.

• Comprobar siempre la fecha de caducidad.

• Si tienen
un olor sospechoso, una
textura extraña o un sabor diferente
al habitual, a la basura.

• Una vez abierta la conserva,
si sobra algo, guardarlo en el
frigorífico en un bote o tarro de
cristal, pero durante 1 ó 2 días
como máximo.

Harina y pan rallado

❧

Fundamentales en los rebozados,
para engordar salsas, elaborar postres
y en múltiples ocasiones más.

Debemos resguardarlos de la
humedad para evitar que cojan olores
y se enmohezcan, y no olvidarnos de
que la harina es un producto
perecedero y se suele estropear; su olor
debe ser agradable y neutro, el sabor
dulce, sin gusto ácido, amargo o acre.

Aceite y vinagre

❧

Un buen aceite es la base principal
para conseguir que cualquier receta
nos quede bien. Y, por suerte, vivimos
en el país donde se produce el mejor
aceite del mundo, el de oliva.
Aprovechémonos de ello para dar
sabor a nuestros platos y que en
nuestra despensa nunca falte una
botella de aceite de oliva de 1° de
acidez, para utilizarlo en crudo,
y otra de 0,4° para cocinar.

No olvidéis guardarlo tapado
y en un lugar donde no le llegue la
luz, para que conserve así todas sus
propiedades y aromas durante
mucho tiempo.

Con el vinagre ocurre algo
parecido a lo anterior, ya que no es
más que vino fermentado, y nosotros
tenemos vinos de fama mundial.
Disponemos de gran variedad
de vinagres: de jerez, de sidra,
aromatizado con hierbas o frutas, etc.

Su utilización en la cocina es muy variada; interviene en la elaboración de aliños, salsas, encurtidos, escabeches y muchas más.

Vino, brandy y coñac

❧

El vino, además de acompañarnos en la mesa durante las comidas o las cenas, es muy utilizado en la cocina para dar aroma y sabor a numerosos platos, sobre todo de carne y pescado. Por eso en nuestra despensa no deben faltar unas buenas botellas de vino blanco y tinto que, por suerte, en España son fáciles de encontrar y hay variedad para elegir.

Por otro lado, el brandy y el coñac también intervienen en la elaboración de muchas recetas, tanto dulces como saladas. Una botella de cada una de estas bebidas nunca viene mal para estos usos.

Azúcar y miel

❧

Dos edulcorantes que no pueden faltar en la despensa, pues se emplean tanto en platos dulces como salados y, por supuesto, son compañeros inseparables de los desayunos.

Para conservar el azúcar correctamente debemos alejarla de la humedad, pues corre el riesgo de compactarse y, aunque pueda seguir utilizándose, no es nada cómodo.

La miel es mejor conservarla en un lugar oscuro, pues la luz hace que poco a poco pierda sus propiedades. Las bajas temperaturas la solidifican, por eso no está de más evitarlas.

La miel debe almacenarse en un lugar fresco y siempre en tarros de piedra, vidrio, plástico o barro, nunca metálicos, porque en contacto con ellos se produce una reacción que la estropea. Los tarros deben cerrarse herméticamente para evitar que fermente la miel.

Café, té y manzanilla

❧

Nunca está de más tener algunas infusiones en la despensa. El café, el té y la manzanilla son las de consumo habitual, pero si eres aficionado a las tisanas, en el mercado existen otras muchas.

Debes tener en cuenta que no son eternas y que con el tiempo van perdiendo aroma y sabor.

El café es mejor que lo tengas en grano y lo vayas moliendo a medida que lo necesites; de esta forma conservará mejor su delicioso aroma.

Si te gusta la comodidad, puedes comprar café instantáneo, ya que los hay de muy buena calidad.

Cacao y chocolate

❀

Que no falten, sobre todo si tienes niños o eres aficionado/a a la repostería. En polvo o en tableta, con leche, con frutos secos..., elige el que más guste en casa.

El chocolate en tabletas no se lleva bien con las altas temperaturas, elige un sitio fresco para almacenarlo.

Galletas y pastas

❀

En el desayuno o a media tarde, con café o té, las galletas y las pastitas son las compañeras indispensables, sobre todo si se presentan visitas sin avisar.

Debes guardalas lejos de la humedad y nunca las dejes al aire para que no se reblandezcan.

Mermeladas

❀

Muy utilizadas en el desayuno y en repostería, un par de tarros de diferentes sabores nunca vienen mal. Las de fresa y melocotón son las más habituales.

Antes de abrir los tarros puedes guardarlos en la despensa hasta la fecha de caducidad, que viene indicada en el envase. Una vez abiertos, hay que meterlos en el frigorífico cerrando bien la tapa.

Pan de molde

❀

No es indispensable tenerlo en la despensa, ya que normalmente consumimos el pan tradicional, del día, pero nunca está de más tener un paquete en casa por si nos quedamos sin pan.

Una vez abierto, acuérdate de cerrarlo bien para que no se endurezca, y guárdalo en un sitio seco, pues se enmohece con facilidad.

Levadura

❧

Muy utilizada para dar volumen a masas de rebozados, bizcochos y otras preparaciones, un/a buen/a cocinero/a siempre debe tener levadura en su cocina.

Recuerda que si la compras fresca debes conservarla en la nevera como máximo durante 1 mes. Si es en polvo, hay que guardarla en un lugar seco y se conserva en perfectas condiciones durante 2 ó 3 años.

El reloj

✤

Y por último, el reloj. Un aparatito imprescindible en cualquier cocina. El tamaño o la forma no importan, pero es fundamental que esté en hora y que funcione a la perfección.

✤

Con el reloj podemos medir el tiempo de las cocciones, asados, frituras, etc., que necesita cada plato y que es tan importante para que nos quede en su punto y con fundamento.

✤

Además, el reloj nos recuerda a qué hora llegan los comensales y nos ayuda a planificar el tiempo que podemos tardar en tener todo listo para la hora prevista. Por cierto, que ya es la una y media y todavía no he empezado a preparar la comida para la familia.
Os dejo y me voy a la cocina volando.

✤

Índice
de recetas

Índice de recetas